COSTA RICA

PARQUES NACIONALES • NATIONAL PARKS

INCAFO
COSTA RICA

AGRADECIMIENTOS

El autor expresa su agradecimiento al Ministerio del Ambiente y Energía por facilitarle el acceso a la base de datos del Sistema Nacional de Áreas de Conservación y por el permiso concedido para la publicación del mapa de las áreas protegidas, y a *The Leatherback Trust* y *Wildlife Conservation Society* por su apoyo y estímulo para la publicación de este libro.

ACKNOWLEDGEMENTS

The author would like to thank the Ministry of the Environment and Energy for allowing access to the National System of Conservation Areas' database and for permission to publish the map of protected areas, and also to The Leatherback Trust and Wildlife Conservation Society for their support and encouragement in publishing this book.

Publicado por / Published by: INCAFO COSTA RICA
Director para / Director for Costa Rica: *Ricardo Zúñiga H.*
Tel.: (506) 223 46 68
e-mail: incafo@racsa.co.cr

Edita / Edited by: EDICIONES SAN MARCOS, Madrid

Directora Editorial / Editorial Director: *Margarita Méndez de Vigo*

Producción / Production: *Diego Blas, Luis Blas, Teresa Solana*

Traducción / Translation: *Lesley Ashcroft*

Diseño / Design: *Alberto Caffaratto*

Impresión / Printing: *Gráficas Jomagar,* Madrid
Encuadernación / Binding: *Alfonso y Miguel Ramos,* Madrid

I.S.B.N.: 84-89127-77-8
Depósito Legal / Legal Deposit: M-9585-2006

COSTA RICA

PARQUES NACIONALES • NATIONAL PARKS

MARIO A. BOZA

CON LA COLABORACIÓN DE / WITH THE COLLABORATION OF

QUIRICO JIMÉNEZ
RICARDO ZÚÑIGA

San José, Costa Rica
2006

INCAFO
COSTA RICA

CONTENIDO

CONTENTS

INTRODUCCIÓN

LOS PARQUES NACIONALES Y LAS RESERVAS EQUIVALENTES de Costa Rica conservan lo mejor del patrimonio natural y cultural de la nación. Estas áreas silvestres superlativas protegen la mayor parte de las 243 especies de mamíferos, 857 de aves, 182 de anfibios, 235 de reptiles, 916 de peces marinos y de agua dulce, y más de 66.000 especies de insectos que se han encontrado en el país. Preservan también la casi totalidad de las 10.979 especies de plantas vasculares que se han identificado –de las que unas 1.600 son orquídeas–, y 2.564 algas y hongos, lo que corresponde aproximadamente a un 4 % del total de especies de plantas que se han descrito en el mundo. Conservan también casi todos los macrotipos de vegetación existentes, como bosques deciduos, sabanas arboladas, bosques siempreverdes, vegetación arbustiva, bosques umbrófilos, pantanos, manglares, bosques lluviosos, turberas, páramos, pantanos herbáceos, selvas anegadas y bosques nublados; y otros ecosistemas como arrecifes de coral, playas arenosas y marismas.

Pero, además, el sistema de áreas protegidas incluye sitios de interés geológico y geofísico, como volcanes activos, fuentes termales, cavernas y relieves relictos del movimiento de placas tectónicas; histórico y arqueológico, como campos de batalla y asentamientos precolombinos; escénico, como cañones de ríos y cataratas; y, de excepcional importancia conservacionista, como islas donde nidifican pelícanos alcatraces y tijeretas de mar, áreas donde se encuentran los últimos remanentes de los bosques secos mesoamericanos y playas donde se observan grandes arribadas de tortugas marinas. Las áreas protegidas del país, a causa de la notable diversidad y riqueza biológica que poseen, se han convertido en una verdadera "meca" para los ecoturistas, los naturalistas y los investigadores que desean admirar y estudiar la exuberancia de la naturaleza tropical costarricense.

El sistema de parques nacionales y reservas equivalentes de Costa Rica comprende un total de 158 unidades divididas en 11 áreas de conservación. La superficie terrestre total cubierta por todas las áreas que integran el sistema es de 1.283.181 ha, lo que representa el 25% de la superficie del país. Sin embargo, lo que está realmente protegido por el Sistema Nacional de Áreas de Conservación del Ministerio del Ambiente y Energía, por otras instituciones del Estado y por organizaciones conservacionistas no gubernamentales, corresponde a unas 800.000 ha, que equivalen aproximadamente al 16% del territorio nacional. En la actualidad, un ambicioso proyecto que se lleva a cabo entre este Ministerio, el Programa de las Naciones Unidas para el Desarrollo y el Fondo para el Medio Ambiente Mundial, busca lograr la consolidación biológica, jurídica, administrativa y económica del sistema público de parques y reservas del país.

El sistema de áreas protegidas de Costa Rica constituye un eslabón muy importante del Corredor Biológico Mesoamericano, un trascendental proyecto que se lleva a cabo para mantener, y en algunos casos restaurar, una ruta verde de vegetación natural que permita el libre flujo de especies a lo largo de toda la región y para promover la conservación de la extraordinaria diversidad biológica de esta parte del mundo. Mediante su conexión con similares corredores regionales que se desarrollan en Norte y Suramérica, la Sociedad para la Conservación de la Vida Silvestre (WCS) está promoviendo la conformación del Corredor Ecológico de las Américas, que se extendería desde el Estrecho de Bering hasta la Tierra del Fuego, para formar parte de una red mundial de corredores regionales propuesta por la Unión Mundial para la Naturaleza (UICN).

INTRODUCTION

COSTA RICA'S NATIONAL PARKS AND RESERVES conserve the best of the nation's natural and cultural heritage. These superlative wildlands protect the greater part of the 243 mammal species, 857 bird species, 182 amphibians, 235 reptiles and 916 salt and freshwater fishes, as well as over 66,000 insect species recorded nationwide. They also preserve almost all the 10,979 species of vascular plants that have been identified. Around 1,600 of these are orchids, 2,564 fungi and algae, roughly equivalent to 4 % of the total number of species worldwide. They also conserve almost all the existing vegetation macrotypes, such as deciduous woodland, forested savannah, evergreen forests, scrub, umbrophilic forest, swamps mangroves, rainforests, peatbeds, 'páramos', herbaceous swamps, flooded forest and cloud forest, together with other ecosystems, e.g. coral reefs, sandy beaches and marshes.

Furthermore, the network of protected areas contains sites that are interesting from geological and geophysical perspectives, e.g. active volcanoes, thermal springs, caves and relict relief resulting from the movement of tectonic plates. There are also sites of historic and archaeological interest, such as battlefields and pre-Columbian settlements. There are scenic spots like river canyons and waterfalls, and sites of exceptional importance for conservation such as the islands where brown pelicans and magnificent frigatebirds nest, or where the last remnants of dry Central American forests occur, and beaches where large numbers of sea turtles can be seen hauling out. Thanks to their considerable diversity and biological richness, the country's protected areas have become a veritable 'mecca' for nature-lovers, naturalists and researchers, who wish to admire and study the exhuberance of Costa Rica's tropical nature.

The network of national parks and reserves in Costa Rica comprises a total of 158 units divided into 11 conservation areas. The total terrestrial surface area of all the parks and reserves in the network is 1,283,181 hectares, which accounts for 24.6 % of national surface area. However, the land that is protected in real terms under the National Conservation Areas System of the Ministry of the Environment and Energy and by other state bodies and non-governmental conservation organizations amounts to around 800,000 hectares, approximately 16 % of the national territory. At present, an ambitious project being conducted jointly by the Ministry, the United Nations Development Programme and the Global Environment Facility is aiming to consolidate the country's public system of parks and reserves in biological, legal, administrative and economic terms.

Costa Rica's system of protected areas is a very important link in the Mesoamerican Biological Corridor, a far-reaching project that is being carried out to maintain and, in some cases, restore a green route of natural vegetation to permit the free flow of species across the region, and to promote the conservation of the extraordinary biological diversity in this part of the world. Through links with similar regional corridors being planned for North and South America, the Wildlife Conservation Society is promoting the creation of the 'Ecological Corridor of the Americas', which will stretch from the Bering Strait to Tierra del Fuego to form part of a worldwide network of regional corridors as proposed by the World Conservation Union (IUCN).

ÁREAS DE CONSERVACIÓN / CONSERVATION AREAS

ÁREA DE CONSERVACIÓN GUANACASTE
1   Parques Nacionales Santa Rosa y Guanacaste
2   Parque Nacional Rincón de la Vieja
3   Refugio Nacional de Fauna Silvestre Bahía Junquillal
4   Refugio Nacional de Vida Silvestre Iguanita
5   Estación Experimental Forestal Horizontes

ÁREA DE CONSERVACIÓN TEMPISQUE
1   Parque Nacional Marino Las Baulas de Guanacaste
2   Parque Nacional Barra Honda
3   Parque Nacional Diriá
4   Reservas Biológicas Guayabo, Negritos y de los Pájaros
5   Refugio Nacional de Fauna Silvestre Ostional
6   Refugio Nacional de Vida Silvestre Curú
7   Refugio Nacional de Vida Silvestre Laguna Mata Redonda
8   Refugio Nacional de Vida Silvestre Camaronal
9   Refugio Nacional de Vida Silvestre Werner Sauter
10   Refugio Nacional de Fauna Silvestre Romelia
11   Refugio Nacional de Vida Silvestre Isla Chora
12   Zona Protectora Cerro de La Cruz
13   Zona Protectora Nosara
14   Zona Protectora Península de Nicoya
15   Humedal Palustrino Corral de Piedra
16   Humedal Riverino Zapandí
17   Humedal Río Cañas
18   Reserva Natural Absoluta Nicolás Wessberg
19   Reserva Natural Absoluta Cabo Blanco

ÁREA DE CONSERVACIÓN CORDILLERA VOLCÁNICA CENTRAL
1   Parque Nacional Braulio Carrillo
2   Parque Nacional Volcán Irazú
3   Parque Nacional Volcán Poás
4   Parque Nacional Volcán Turrialba
5   Monumento Nacional Guayabo
6   Reserva Biológica Alberto Manuel Brenes
7   Refugio Nacional de Vida Silvestre La Tirimbina
8   Refugio Nacional de Vida Silvestre Bosque Alegre
9   Reserva Forestal de Grecia
10   Reserva Forestal Cordillera Volcánica Central
11   Zona Protectora Río Toro
12   Zona Protectora El Chayote
13   Zona Protectora La Selva
14   Zona Protectora Río Grande
15   Zona Protectora Cerros de La Carpintera
16   Zona Protectora Río Tiribí
17   Zona Protectora Cerro Atenas
18   Zona Protectora Cuenca del Río Tuis

ÁREA DE CONSERVACIÓN TORTUGUERO
1   Parque Nacional Tortuguero y Refugio Nacional de Fauna Silvestre Barra del Colorado
2   Refugio Nacional de Vida Silvestre Archie Carr
3   Zona Protectora Tortuguero
4   Zonas Protectoras Acuíferos de Guácimo y Pococí

ÁREA DE CONSERVACIÓN LA AMISTAD-CARIBE
1   Parque Nacional Cahuita
2   Refugio Nacional de Vida Silvestre Gandoca-Manzanillo
3   Refugio Nacional de Vida Silvestre Limoncito
4   Reserva Forestal Río Pacuare
5   Reserva Forestal Pacuare-Matina
6   Zona Protectora Cuenca del Río Banano
7   Zona Protectora Cuenca del Río Siquirres
8   Humedal Nacional Cariari
9   Humedal Lacustrino Bonilla-Bonillita

ÁREA DE CONSERVACIÓN LA AMISTAD-PACÍFICO
1   Reserva de Biosfera La Amistad
2   Reserva Forestal Río Macho
3   Zona Protectora Las Tablas
4   Zona Protectora Río Navarro y Río Sombrero
5   Humedal de San Vito
6   Humedal Palustrino Laguna del Paraguas

ÁREA DE CONSERVACIÓN OSA
1   Parque Nacional Marino Ballena
2   Parque Nacional Corcovado
3   Parque Nacional Piedras Blancas
4   Refugio Nacional de Fauna Silvestre Golfito
5   Reserva Biológica Isla del Caño
6   Refugio Nacional de Vida Silvestre Rancho La Merced
7   Refugio Nacional de Vida Silvestre Punta Río Claro
8   Refugio Nacional de Vida Silvestre Preciosa Platanares
9   Refugio Nacional de Vida Silvestre Carate
10   Refugio Nacional de Vida Silvestre Río Oro
11   Refugio Nacional de Vida Silvestre Osa
12   Refugio Nacional de Vida Silvestre Quillotro
13   Reserva Forestal Golfo Dulce
14   Humedal Nacional Terraba-Sierpe
15   Humedal Lacustrino Pejeperro-Pejeperrito

ÁREA DE CONSERVACIÓN PACÍFICO CENTRAL
1   Parque Nacional Carara
2   Parque Nacional Manuel Antonio
3   Parque Nacional La Cangreja
4   Reserva Biológica Cerro Las Vueltas

5   Refugio Nacional de Vida Silvestre Fernando Castro Cervantes
6   Refugio Nacional de Vida Silvestre Finca Barú del Pacífico
7   Refugio Nacional de Vida Silvestre Portalón
8   Refugio Nacional de Vida Silvestre La Ensenada
9   Refugio Nacional de Vida Silvestre Playa Hermosa-Punta Mala
10   Refugio Nacional de Vida Silvestre Isla San Lucas
11   Reserva Forestal Los Santos
12   Zona Protectora Tivives
13   Zona Protectora El Rodeo
14   Zona Protectora Cerros de Escazú
15   Zona Protectora Caraigres
16   Zona Protectora Cerros de Turrubares
17   Zona Protectora Cerro Nara
18   Zona Protectora Montes de Oro
19   Zona Protectora Quitirrisí
20   Zona Protectora Quebrada Rosario
21   Zona Protectora Cerro El Chompipe
22   Humedal Marino de Playa Blanca
23   Humedal Estero de Puntarenas

ÁREA DE CONSERVACIÓN ARENAL-TEMPISQUE
1   Parque Nacional Palo Verde
2   Refugio Nacional de Vida Silvestre Cipancí
3   Reserva Biológica Lomas Barbudal
4   Zona Protectora Arenal-Monteverde
5   Reserva Forestal Taboga
6   Zona Protectora Cuenca del Río Abangares
7   Zona Protectora Miravalles
8   Humedal Laguna Madrigal

ÁREA DE CONSERVACIÓN ARENAL-HUETAR NORTE
1   Parque Nacional Juan Castro Blanco
2   Parques Nacionales Volcán Arenal y Volcán Tenorio, Zona Protectora Tenorio y Reserva Forestal Zona de Emergencia del Volcán Arenal
3   Refugio Nacional de Vida Silvestre Caño Negro
4   Refugio Nacional de Vida Silvestre Laguna Las Camelias
5   Refugio Nacional de Vida Silvestre Corredor Fronterizo Costa Rica-Nicaragua
6   Reserva Forestal Cerro El Jardín
7   Reserva Forestal La Cureña
8   Refugio Nacional de Vida Silvestre Maquenque
9   Humedal Lacustrino de Tamborcito

ÁREA DE CONSERVACIÓN ISLA DEL COCO
1   Parque Nacional Isla del Coco

COSTA RICA

NICARAGUA

MAR CARIBE

OCÉANO PACÍFICO

PANAMÁ

ÁREAS DE CONSERVACIÓN

- Guanacaste
- Tempisque
- Cordillera Volcánica Central
- Tortuguero
- La Amistad-Caribe
- La Amistad-Pacífico
- Osa
- Pacífico Central
- Arenal-Tempisque
- Arenal-Huétar Norte
- Isla del Coco

PARQUES NACIONALES	EXTENSIÓN (Has)	DECRETO/LEY
Guanacaste	38.034	D.E 20516-M
Santa Rosa	34.025	LEY 3694
Rincón de la Vieja	14.161	LEY 5398
Palo Verde	18.418	D.E. 8492-A
Las Baulas	379	D.E. 20518-M
Barra Honda	2.291	LEY 5558
Braulio Carrillo	47.583	D.E. 8357-A
Volcán Irazú	2.000	LEY 1917
Volcán Poás	6.506	D.E. 1237-A
Tortuguero	31.187	D.E. 1235-A
La Amistad	174.881	D.E. 13324-A
Cahuita	1.106	D.E. 1236-A
Ballena	172	D.E. 19441-M
Corcovado	42.469	D.E. 5357-A
Carara	5.242	D.E. 8491-A
Manuel Antonio	1.625	LEY 5100
La Cangreja	1.937	LEY 6975 (ART. 93)
Arenal	12.124	D.E. 20791-M
Volcán Tenorio	12.871	D.E. 5836-A
Juan Castro Blanco	14.453	D.E. 4965-A
Isla del Coco	2.309	D.E. 8748-A
Tapantí-Macizo Cerro de la Muerte	58.246	D.E. 13309-A
Barbilla	11.944	D.E. 13392-A
Chirripó	50.920	LEY 5773
Piedras Blancas	14.025	D.E. 20522-M
Volcán Turrialba	1.257	LEY 1917
Diriá	2.840	D.E. 20517-M

OCÉANO PACÍFICO

ISLA DEL COCO

1   3   5   7 Km

gUANACASTE

A mediados de la época seca, los árboles corteza amarilla (derecha) tienen una espectacular floración que viste el paisaje de un intenso color amarillo. A la izquierda, una tortuga lora desovando. Abajo, una oruga de la familia de los Esfíngidos.

In the middle of the dry season, yellow cortez trees (right) bloom in a most spectacular fashion, adding splashes of bright yellow to the landscape. Left, an Atlantic ridley turtle laying eggs. Below, a caterpillar of the Sphyngidae.

Parques Nacionales Santa Rosa y Guanacaste

La mayor parte de los Parques Nacionales Santa Rosa y Guanacaste, declarados por la UNESCO como Sitio del Patrimonio Mundial en 1999, se localiza en la meseta de Santa Rosa, formada por depósitos de nubes ardientes de 3-4 millones de años de antigüedad, que forma parte de la región climática denominada Pacífico Seco. Algunos de los hábitats más reconocibles que se encuentran en esta meseta son los antiguos pastizales, ralamente cubiertos por una gramínea procedente de África, el jaragua *(Hyparrhenia rufa)* y salpicados por diversas especies de árboles pioneros, como el raspaguacal *(Curatella americana)*, que terminarán por eliminar el pasto; los bosques deciduos, con unas 240 especies de árboles y arbustos, entre ellos el guanacaste *(Enterolobium cy-*

clocarpum), –el árbol nacional–, el cocobolo *(Dalbergia retusa)*, la caoba *(Swietenia macrophylla)* –especie en peligro de extinción– y *Ateleia herbert-smithii*, cuya única localidad conocida es el Parque Nacional Santa Rosa; los bosques de encino *(Quercus oleoides)*, los bosques siempreverdes y los bosques ribereños, donde se observan el guapinol *(Hymenaea courbaril)* y el ojoche *(Brosimum alicastrum)*; los pantanos de mezquite-nacascol *(Prosopis juliflora-Caesalpinia coriaria)*; los bosques achaparrados, muy espinosos, donde se pueden observar ágaves y cactos y, por último, la vegetación de playa y los manglares, con especies como el mangle rojo gigante *(Rhizophora racemosa)* y el palo de sal *(Avicennia germinans)*.

El bosque seco o bosque deciduo (derecha), uno de los hábitats más característicos de estos dos parques nacionales, alberga más de 240 especies de árboles y arbustos. Arriba, islas litorales en la península de Santa Elena.

Dry forest or deciduous forest (right), one of the most typical habitats in these national parks, hosts over 240 species of trees and shrubs. Above, coastal islands on Santa Elena Peninsula.

SANTA ROSA AND GUANACASTE NATIONAL PARKS

THE GREATER PART OF Santa Rosa and Guanacaste national parks, which UNESCO declared a World Heritage site in 1999, lies within the Santa Rosa Plateau, which is a result of deposits of glowing cloud eruptions 3 or 4 million years old, and which corresponds to the climatic region known as Dry Pacific. Some of the most recognizable habitats on this tableland are as follows: old grasslands, sparsely covered in jaragua grass *(Hyparrhenia rufa)* from Africa and dotted with several species of pioneer trees, such as the rough-leaf tree *(Curatella americana),* which will end up taking the place of the grassland; deciduous woodland with some 240 species of trees and bushes, including the ear tree *(Enterolobium cyclocarpum),* which is the national tree, rosewood *(Dalbergia retusa),* mahogany *(Swietenia macrophylla),* a species threatenend with extinction, and *Ateleia herbert-smithii,* which is only known from Santa Rosa Park; forests of evergreen oak *(Quercus oleoides),* evergreen forests and riverine woodland where the locust *(Hymenaea courbaril)* and the cowtree *(Brosimum alicastrum)* are found; mezquite-nacasol swamps *(Prosopis juliflora-Caesalpinia coriaria);* very thorny stunted forests where agaves and cacti occur; beach vegetation, and mangrove swamps with species of red mangrove *(Rhizophora mangle)* and black mangrove *(Avicennia germinans).*

There is rich and varied animal life in these varied habitats. In the dry forest 115 species of mammals have been

PANORÁMICA DEL BOSQUE SECO en invierno desde el mirador de la Casona en el Parque Nacional Santa Rosa. Arriba, un ejemplar de indio desnudo, uno de los árboles más abundantes y característicos del bosque deciduo.

PANORAMIC VIEW OF DRY FOREST in winter from the La Casona Viewing Point in Santa Rosa National Park. Above, a gumbo-limbo tree, one of the most common and typical deciduous forest species here.

A esta variedad de hábitats corresponde una fauna rica y diversa. En el bosque seco se han observado 115 especies de mamíferos, de las que más de la mitad son murciélagos. Algunos de los más conspicuos son el venado (*Odocoileus virginianus*), el pizote (*Nasua narica*) y el mono congo (*Alouatta palliata*). Además, se han identificado 332 especies de aves, como la urraca (*Calocitta formosa*) –muy abundante–, el zopilote rey (*Sarcoramphus papa*) –raro en Guanacaste–, el caracara carancho (*Caracara plancus*) –que exhibe un caminar majestuoso sobre el suelo– y el busardo-negro norteño o gavilán cangrejero (*Buteogallus anthracinus);* unas 100 especies de anfibios y reptiles, y se estima que puede haber más de 30.000 de insectos, entre las que más de 5.000 serían especies de mariposas diurnas y nocturnas.

Las bellas playas Naranjo y Nancite son importantes lugares de desove para las tortugas marinas, principalmente loras (*Lepidochelys olivacea*), baulas (*Dermochelys coriacea*) –la más grande de todas– y verdes del Pacífico (*Chelonia agassizi*). Nancite, después del Refugio de Ostional, es la playa con una mayor frecuencia de arribadas de tortugas loras en todo el Pacífico Oriental. Otras especies abundantes en las playas son las almejas (*Donax* sp.), los caracoles (*Olivella* sp.) y los cangrejos fantasma (*Ocypode gaudichaudii*), violinista (*Uca* sp.), ermitaño (*Coenobita compressa*), jaiba (*Callinectes arcutus*) y topo

La Casona (izquierda), recientemente reconstruida tras el incendio de 2001, es uno de los edificios de mayor importancia histórica de Costa Rica. Allí fueron derrotados los filibusteros en 1856.

La Casona (left), recently rebuilt after a fire in 2001, is one of the most historically important buildings in Costa Rica. It was there that the filibusters were defeated in 1856.

recorded, more than half of which are bats. Some of the most conspicuous are the white-tailed deer (Odocoileus virginianus), the white-nosed coati (Nasua narica) and the howler monkey (Alouatta palliata). In addition, 332 species of birds, such as the white-throated magpie-jay (Calocitta formosa), the king vulture (Sarcoramphus papa) – rare in Guancaste –, the strutting crested caracara (Caracara plancus) and the common black-hawk (Buteogallus anthracinus), as well as around 100 amphibians and reptile species have been identified. It is estimated that there may be over 30,000 species of insects, including over 5,000 species of moths and butterflies.

The beautiful beaches of Naranjo and Nancite are important laying sites for sea turtles, mainly olive ridley (Lepidochelys olivacea), leatherback (Dermochelys coriacea), the biggest of all, and Pacific greens (Chelonia agassizi). After Ostional Refuge, Nancite is the beach that is most often visited by olive ridley turtles in the entire Eastern Pacific. Other abundant species on the beaches are clams (Donax sp.), snails (Olivella sp.) and crabs, such as Ocypode gaudichaudii, Uca sp., Coenobita compressa, Callinectes arcutus and Emerita sp.

On the rocky coasts along the Santa Elena Peninsula there are green algae (Enteromorpha sp.), molluscs like the

LA CASONA ES HOY UN MUSEO HISTÓRICO donde pueden contemplarse no sólo antiguos petroglifos sino también interesantes reconstrucciones de cómo vivían las anteriores generaciones de los actuales costarricenses.

LA CASONA IS NOWADAYS A HISTORY MUSEUM that houses ancient petroglyphs and interesting reconstructions of how former generations of contemporary Costa Ricans used to live.

(*Emerita* sp.). En las costas rocosas, a lo largo de la península de Santa Elena, se observan algas verdes (*Enteromorpha* spp.), moluscos como los cascos de mula *(Siphonaria gigas)* y las cucarachas de mar *(Chiton stokesii)*, y equinodermos como los pepinos de mar *(Holothuria* sp.). Se han encontrado también 11 especies de corales, particularmente alrededor de las islas Murciélago, incluyendo el coral negro (*Anthipayes* sp.), los cerebriformes *Gardineroseris planulata* –que casi ha desaparecido del Pacífico Oriental–, *Pavona gigantea* –cuyas únicas colonias en todo el Pacífico Oriental se encuentran en estas aguas– y el anaranjado *(Tubastrea coccinea)*. Tres especies de peces muy comunes en estas aguas son los jureles *(Caranx* sp.), los peces loro *(Scarus compressus)* y los pargos mancha *(Lutjanus guttatus)*. De enero a marzo se pueden observar ballenas jorobadas *(Megaptera novaeangliae)* con sus ballenatos. La playa Naranjo presenta condiciones ideales para practicar el *surf*.

VISTA GENERAL DE LA bella playa Naranjo en el Parque Nacional Santa Rosa, con la isla Peña Bruja, una reliquia erosiva de roca sedimentaria con una antigüedad de 60 millones de años.

OVERALL VIEW OF LOVELY Naranjo Beach in Santa Rosa National Park, with Peña Bruja Island, an erosive relict piece of sedimentary rock 60 million years old.

El Centro Histórico de Santa Rosa es una de las áreas de mayor importancia cultural del país. Los corrales de piedra que aquí se pueden admirar proceden de la época colonial y junto con la antigua Casona, declarada como Monumento Histórico Nacional, fueron escenario de la Batalla de Santa Rosa del 20 de marzo de 1856 contra los filibusteros, en defensa de la libertad y la soberanía nacionales. Los filibusteros eran mercenarios europeos y norteamericanos comandados por William Walker que habían tomado el Gobierno de Nicaragua y pretendían apoderarse de toda Centroamérica. El gran mérito de esta batalla, ganada en 15 minutos, es que fue una lucha desigual entre veteranos en el uso de las armas y campesinos hechos soldados de la noche a la mañana. La actual Casona es una reciente reconstrucción de la anterior, que fue destruida por un incendio en 2001, y que contaba con unos 108 años de existencia, aunque su base sí es colonial. La antigua Casona había sido también escenario de conflictos bélicos en 1919 y 1955.

La península de Santa Elena es una de las áreas más secas (unos 1.200 mm de lluvia por año) y la más vieja del país; se trata principalmente de un afloramiento de peridotita (roca característica del fondo marino rica en magnesio y níquel), con fallas, de unos 85 millones de años de antigüedad. En ese tiempo la península de Santa Elena era una isla en medio del océano y lo único que existía de la actual Costa Rica. Al este de la península las peridotitas están cubiertas por rocas volcánicas, y en el norte y sureste se encuentran formaciones sedimentarias con calizas arrecifales. Esta formación, única en el país, denominada localmente marmolita, se caracteriza por su bello color rojizo, por el que fue explotada en el pasado para decorar paredes y pisos de edificios, como el de la Corte Suprema de Justicia. Se han encontrado aquí fósiles de bivalvos

limpet *Siphonaria gigas,* and chitons *(Chiton stokesii)* as well as echinoderms, such as sea cucumbers *(Holothuria* sp.). Eleven species of coral have also been found, particularly around the Murcielago Islands, including black coral *(Anthipayes* sp.) and the brain coral *Gardineroseris planulata,* which has almost disappeared from the Eastern Pacific, *Pavona gigantea,* whose only colonies in the entire Eastern Pacific occur in these waters, and orange cup coral *(Tubastrea coccinea).* Three very common species of fish in these waters are crevalle jack *(Caranx* sp.), parrot fish *(Scarus compressus)* and spotted rose snapper *(Lutjanus guttatus).* From January to March humpback whales *(Megaptera novae-angliae)* can be spotted with their calves. Naranjo Beach is ideal for surfing.

The historic centre of the Santa Rosa sector is one of the most culturally important areas in the country. The stone corrals from the colonial era and together with the old Casona, declared a National Historical Monument, were the scene of the Battle of Santa Rosa on 20 March 1856 against the filibusters in defence of national freedom and sovereignty. The filibusters were European and North American mercenaries commanded by William Walker. They took over the Government of Nicaragua and tried to take control of all Central America. The great merit of this battle, which was won in fifteen minutes, is that it was an unequal fight between veterans in the use of arms and country people who became soldiers overnight. Today's Casona is a recent reconstruction of the original, which was destroyed by fire in 2001. It was 108 years old, but the base dates from colonial times. The old Casona was also the scene of conflict in 1919 and 1955.

The Santa Elena Peninsula is one of the driest (about 1,200 mm rainfall per year) and oldest parts of the coun-try. It consists chiefly of an outcrop of peridotite (rock typical of marine beds rich in magnesium and nickel), with faults, about 875 million years old. At that time the Santa Elena Peninsula was an island in the middle of the ocean and the only part of today's Costa Rica that existed. To the east of the peninsula, the peridotite rocks are covered in volcanic rock, and in the north and south-east there are sedimentary landforms with limestone reefs. Known locally as marmolite, this landform, which is unique in the country, has a lovely red colour. It was exploited in the past to decorate the walls and floors of buildings such as the Supreme Court. Bivalve fossils from the Upper Cretaceaous (95-65 million years old) have been found there. One of the most obvious landmarks on Santa Elena, off Naranjo Beach, is Peña Bruja, a huge limestone rock with orthogonal fissures and large numbers of foraminifera.

El cerro Cacao es un estratovolcán que ha permanecido dormido durante miles de años y cuyas laderas se encuentran tapizadas por un bosque húmedo siempreverde muy rico en orquídeas y helechos.

Cacao Hill is a stratovolcano that has remained dormant for thousands of years; its slopes are covered in moist evergreen forest very rich in orchids and ferns.

del Cretácico Superior (95-65 millones de años de antigüedad). Un hito muy visible de Santa Elena, que se localiza frente a playa Naranjo, es la Peña Bruja, enorme roca de composición calcárea que muestra fracturas ortogonales y contiene abundantes foraminíferos.

Santa Elena posee una vegetación muy característica constituida por pastizales de *Trachypogon*, encinares *(Quercus oleoides)*, bosques altos semideciduos –con grandes árboles de caoba *(Swietenia macrophylla)* y níspero *(Manilkara chicle)*–, manglares –el de Potrero Grande cubre unas 140 ha–, humedales –el de punta Respingue está cubierto por el pasto *Phragmites australis*– y bosques enanos –con vegetación de 2 a 10 m de alto como el indio desnudo enano *(Bursera glabra)*, además de ágaves *(Agave seemanniana)* y cactos. La laguna Respingue y el manglar de Potrero Grande fueron incorporados a la Lista de Humedales de Importancia Internacional de Ramsar en el año 1999. Este manglar constituye el límite septentrional del mangle piñuela *(Pelliciera rhizophorae)*.

La isla Bolaños, situada al norte de esta península y parte del Parque Santa Rosa, es un peñón de 81 m de altura, de forma

El volcán Orosí, situado en el Parque Nacional Guanacaste, es un estratovolcán de 1.446 metros de altitud que presenta un aspecto cónico muy característico. Sus laderas se encuentran cubiertas por densos bosques húmedos y nubosos.

Orosí Volcano in Guanacaste National Park is a 1,446-meter-high stratovolcano with a very characteristic conical shape. Its slopes are covered in thick wet cloud forest.

Santa Elena has very characteristic vegetation consisting of *Trachypogon* grassland; holm oak stands *(Quercus oleoides);* tall semi-deciduous forests – with large mahogany trees *(Swietenia macrophyla)* and pittier *(Manilkara chicle)* –; mangrove swamps – the Potrero Grande covers about 140 hectares –; wetlands – Punta Respingue is covered in *Phragmites australis* grass; and dwarf forest with vegetation from 2 to 10 meters high such as *Bursera glabra,* as well as agaves *(Agave seemanniana)* and cacti. Respingue Lagoon and Potrero Grande Lagoon were included on Ramsar's List of Wetlands of Interna-

El AGUTÍ ES UN PEQUEÑO ROEDOR bastante común en los bosques secos de los parques nacionales de Santa Rosa y Guanacaste. A la izquierda, un ejemplar inmaduro de gavilán del manglar o busardo negro-norteño.

THE AGOUTI, A SMALL RODENT, is fairly common in the dry forests of Santa Rosa and Guanacaste national parks. Left, a juvenile mangrove black hawk.

Uno de los hábitats principales de esta área protegida es el bosque achaparrado, caracterizado por especies provistas de espinas y en el que se desarrolla una vegetación xerofítica de ágaves y cactáceas.

One habitat typical of this protected area is stunted forest, which features species equipped with thorns and includes xerophytic vegetation consisting of agaves and cacti.

ovalada y topografía irregular, situado a 1,5 km de la costa de punta Descartes. Esta isla tiene especial importancia para la conservación de las aves, ya que protege una de las pocas áreas que se conocen en el país donde nidifican sobre su escasa vegetación colonias de pelícanos alcatraces *(Pelecanus occidentalis)*, con un total de 500 a 600 ejemplares, y la única hasta ahora descubierta, donde nidifican los rabihorcados magníficos o tijeretas de mar *(Fregata magnificens)*, con unos

1.000 individuos, y los ostreros píos americanos *(Haematopus palliatus)*.

En la sección de la Cordillera de Guanacaste, que limita a ambos parques por el noreste, se encuentran los volcanes Orosí y Cacao y restos de antiguos cráteres que se conocen como los volcanes Orosilito y Pedregal. El Orosí, de 1.440 m de altura, es un estratovolcán de forma cónica bien desarrollada; su cráter se encuentra muy destruido

tional Importance in 1999. This mangrove swamp marks the northern limit of the piñuelo mangrove *Pelliciera rhizophorae.*

Bolaños Island, located in the north of the peninsula within Santa Rosa Park, is an 81-metre-high irregularly shaped oval rock 1.5 km from Descartes Point. This island is especially important for bird conservation since it protects one of the few areas in the country where colonies of brown pelicans *(Pelecanus occidentalis),* numbering 500 to 600 birds, are known to nest among the scarce vegetation. This is the only known nesting site of magnificent frigatebirds *(Fregata magnificens),* with around 1,000 birds, and of American oystercatchers *(Haematopus palliatus).*

The Cordillera de Guanacaste section, which adjoins both parks to the north-east, contains the volcanos Orosí and Cacao, and remains of old craters known as the Orosilito and Pedregal volcanoes. 1,440-metre-high Orosí is a well developed

EN AMBOS PARQUES LA FAUNA ES RICA Y VARIADA. Arriba, un macho de venado colablanca, una vistosa mariposa y una colonia de murciélagos (algunos aparecen anillados para su control). A la derecha, un puma en actitud de caza, uno de los mamíferos más ágiles y poderosos de Mesoamérica.

THE WILDLIFE IN BOTH PARKS IS RICH AND VARIED. Above, a male white-tailed deer, an eye-catching butterfly and a colony of bats (some ringed for monitoring). Right, a stalking puma, one of the strongest and most agile mammals in Mesoamerica.

Una de las más hermosas playas que posee el Parque Nacional Santa Rosa es la de Naranjo. Esta playa, junto a la de Nancite, situada un poco más al norte, constituyen importantes lugares de desove para las tortugas marinas, principalmente loras, baulas y verdes del Pacífico.

One of the loveliest beaches in Santa Rosa National Park is Naranjo Beach. Together with Nancite Beach, a little further north, it contains important laying sites for marine turtles, chiefly ridleys, leatherbacks and Pacific greens.

y no ha tenido actividad en tiempos históricos. Las faldas de este macizo están totalmente cubiertas por bosques húmedos y nublados muy densos y en las partes más bajas se observan bosques secos y de galería. En este macizo nace el río Tempisque, uno de los más largos e importantes –como fuente de agua para irrigación– del país. De gran interés cultural en las faldas del volcán es el área conocida como El Pedregal, donde se pueden observar cientos de petroglifos. El Cacao, de 1.659 m de altura, es también un estratovolcán que no ha presentado actividad en tiempos históricos. Se observan en este macizo bosques húmedos siempreverdes y bosques nublados de vegetación achaparrada, con una notable abundancia de orquídeas y helechos. Al oeste del volcán Orosí se localiza el cerro El Hacha, de 617 m de altura, un relicto volcánico de andesitas piroxénicas.

Los parques Santa Rosa y Guanacaste se encuentran al noroeste de la provincia de Guanacaste, cerca de la frontera con Nicaragua; la Carretera Panamericana pasa en medio de ambos. En Santa Rosa se localiza el Centro de Investigaciones del Bosque Seco Tropical y la Estación Biológica Nancite, y en el Parque Nacional Guanacaste se encuentran las estaciones biológicas Cacao, Maritza y Pitilla, esta última en la vertiente atlántica. A la Administración principal y al Museo Histórico de Santa Rosa se llega vía San José-Liberia-Centro Histórico (256 km), por carretera pavimentada. En ambos parques existen carreteras y senderos que conducen a sitios de interés natural, histórico y arqueológico, y hay áreas para acampar y miradores.

conical stratovolcano; its crater is highly deteriorated and there has been no activity in recorded history, i.e. for hundreds or thousands of years. The foothills of this massif are completely covered in very thick moist forest and cloud forest and in the lower parts there is dry forest and gallery forest. The River Tempisque rises here. Besides being one of the longest rivers in the country, it is also one of the most important as its water is used for irrigation. At the foot of the volcano is the culturally interesting site known as El Pedregal, where hundreds of petroglyphs can be seen.

1,659-metre-high El Cacao is also a stratovolcano and also inactive in recorded history. In this massif there are wet evergreen forests and cloud forests of thick vegetation with an abundance of orchids and ferns. West of Orosí Volcano

is Cerro El Hacha, 617 metres high, a relict volcano of pyroxenic andesites.

Santa Rosa and Guanacaste national parks are in the northwest of the province of Guanacaste near the border with Nicaragua. The Panamerican Highway runs between the two. In Santa Rosa there is the Tropical Dry Forest Research Centre and Nancite Biological Station, and Guanacaste Park contains Cacao, Maritza and Pitilla biological stations, the latter lying on the Atlantic side. One can reach the main offices and the History Museum of Santa Rosa via San José and Liberia (256 km) along an asphalted road. In both parks there are roads and tracks leading to interesting natural, historical and archaeological sites. There are camping sites and lookout points.

Al norte de la península de Santa Elena, muy cerca de la frontera con Nicaragua se localiza la isla Bolaños, un peñón de 81 metros de altura y 25 hectáreas de superficie. Hasta la fecha, es el único lugar conocido en Costa Rica en el que nidifican las tijeretas de mar y los ostreros.

North of the Santa Elena Peninsula and very close to the border with Nicaragua is Bolaños Island, 25 hectares of rock 81 meters high. It is the only known nesting site in Costa Rica for frigate birds and oystercatchers.

PARQUE NACIONAL RINCÓN DE LA VIEJA

EL MACIZO DEL RINCÓN DE LA VIEJA, con 1.916 m de altura, es un estratovolcán complejo de más de 400 km², formado por un vulcanismo simultáneo de cierto número de focos eruptivos que crecieron y se convirtieron en una sola montaña. En la cima se han podido identificar nueve puntos eruptivos, uno de ellos, el cráter activo, presenta actividad fumarólica y es el que tiene igualmente actividad eruptiva, mientras que los restantes se observan muy destruidos, en su mayoría por los agentes erosivos. El volcán Santa María, hacia el extremo sureste del escudo volcánico, tiene un cráter de unos 500 m de diámetro con una laguna en su interior. Hacia el sur del cráter activo se encuentra una laguna de agua dulce de unos 400 m de largo, llamada Los Jilgueros, de gran belleza escénica, a la que acuden las dantas *(Tapirus bairdii)* para beber. El último período de actividad fuerte, con erupciones

ESTE MACIZO MONTAÑOSO es un estratovolcán en cuya cima se han podido identificar hasta nueve puntos eruptivos, uno de ellos activo, el Rincón de la Vieja, cuya última erupción tuvo lugar en el año 1997.

THIS MOUNTAINOUS MASSIF is a stratovolcano with nine eruption points on the summit. One of them, Rincón de la Vieja, is active, last erupting in 1997.

RINCÓN DE LA VIEJA NATIONAL PARK

THE 1,916-METRE RINCÓN DE LA VIEJA MASSIF is a complex stratovolcano covering over 400 km². It formed as a result of simultaneous volcanic activity at various eruption points, which spread to form a single mountain. Nine eruption sites have been located on the top. There are fumaroles and eruptions in one of them, the active crater, but most of the rest are highly deteriorated as a result of erosive agents. Santa María Volcano towards the southeastern end of the volcanic shield has a crater 500 metres across containing a lake. Towards the south of the active crater there is a scenically very beautiful freshwater lagoon about 400 m long called Los Jilgueros, where Baird's tapir (*Tapirus bairdii*) go to drink. The last period of great activity between 1966 and 1975 involved eruptions of ash, gases,

EN LA VERTIENTE SUR DEL MACIZO montañoso se localizan numerosas manifestaciones volcánicas secundarias. A la derecha, arriba, una "hornilla" de agua hirviendo y, abajo, la paila de lodo ardiente conocida como El Volcancito.

ON THE SOUTHERN SLOPE of the mountain range there are many signs of minor volcanic features. Above right, a 'stove' of boiling water and, below, the basin of burning mud known as El Volcancito.

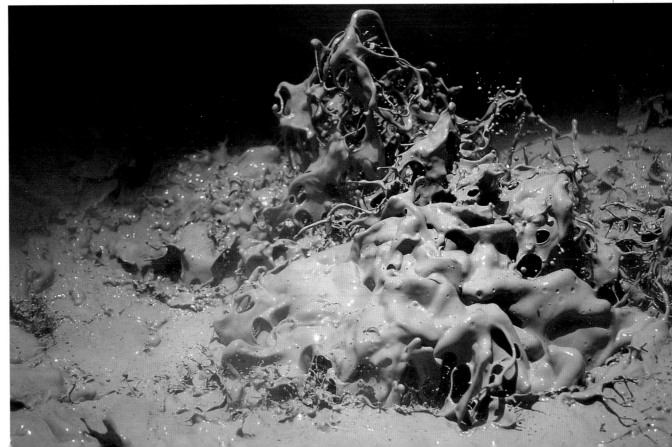

El mono congo (abajo) es una de las especies de mamíferos más fáciles de ver, y sobre todo de escuchar, en los bosques que tapizan las laderas de este macizo montañoso. A la derecha, la laguna Agua Dulce, situada al sur del cráter activo.

Howler monkeys (below) are very easy to spot here, but, above all, it is easy to hear them calling across the forested mountain slopes. Right, Agua Dulce Lagoon, south of the active crater.

de ceniza, gases, lodo y piroclastos, tuvo lugar entre 1966 y 1975, y las erupciones más recientes ocurrieron en 1991-1992, 1995 y 1998.

Al pie del volcán, del lado suroeste, se encuentran cuatro zonas de actividad exhalativa superficial, el área denominada Las Pailas o Las Hornillas, que ocupa unas 50 hectáreas. Existen aquí fuentes termales, lagunas solfatáricas, soffioni u orificios por donde se elevan chorros de vapor, y volcancitos de barro, en los que el lodo burbujea permanentemente por la salida de vapores y gases sulfurosos. Esta área constituye el principal atractivo turístico.

El parque presenta diferentes hábitats altitudinales. La cima del volcán está cubierta de cenizas y cuenta con poca vegetación. Cerca de la cumbre los bosques son de baja altura y los árboles se muestran ramificados, retorcidos y cubiertos de musgos y epífitas; la especie dominante es el copey *(Clusia rosea)*. En las partes intermedias, entre 800 m y 1.500 m, el bosque es denso y alto; algunos de los árboles presentes son el roble *(Quercus oocarpa)*, el ciprés blanco *(Podocarpus macrostachyus)* y el cuajada *(Vitex cooperi)*. La vegetación del área noroeste del macizo se caracteriza por ser representativa de la vertiente atlántica, con un bosque muy alto, hasta de 40 m, y un sotobosque a veces muy entremezclado, dominado por palmas.

En este macizo se han observado 257 especies de aves, entre ellas el campanero tricarunculado o pájaro campana *(Procnias tricarunculata)*, cuyos machos se reconocen por su fuerte y raro canto metálico. Algunos de los mamíferos presentes son el cabro de monte *(Mazama americana)* y el oso colmenero *(Tamandua mexicana)*; los mamíferos abundan en la cumbre del macizo. Entre los insectos, que son muy abundantes, destacan cuatro especies de las bellas mariposas morfo *(Morpho* sp.). El parque protege un gran sistema de cuencas hidrográficas y en él se localiza la mayor población en estado silvestre de la guaria morada *(Gua-*

rianthe skinneri), la flor nacional. Un corredor biológico conecta al Parque Rincón de la Vieja con los Parques Guanacaste y Santa Rosa, formando un megaparque de unas 86.000 ha. El Rincón de la Vieja es uno de los volcanes de la Cordillera de Guanacaste. A la Administración, en la sección Pailas, se llega desde Liberia vía Carretera Panamericana-Guadalupe-Curubandé-Administración (25 km), por caminos pavimentados y lastrados. En el parque existen varios senderos que conducen a sitios de interés geológico y biológico, y hay un área para acampar.

The park contains different habitats typical of different altitudes. The top of the volcano is covered in ash, and there is little plant life. Near the top, the woodland is low and the trees' thick twisted branches are covered in mosses and epiphytes; the predominant species is the copey *(Clusia rosea)*. In the intermediate parts between 800 m and 1,500 m, the forest is thick and tall, with oak *(Quercus oocarpa)*, white cypress *(Podocarpus macrostachyus)* and manwood *(Vitex cooperi)*, etc. The vegetation in the north-west of the massif is characteristic of Atlantic Basin forest up to 40 m high, sometimes with very tangled undergrowth where palms predominate.

In this massif, 257 bird species have been recorded, including the three-wattled bellbird *(Procnias tricarunculata)* whose males are known for their strange strident metallic call. Mammal species include red brocket deer *(Mazama americana)* and northern tamandua *(Tamandua mexicana)*; mammals abound in the upper reaches of the mountain range. Among the numerous insects four beautiful species of Morpho butterflies *(Morpho sp.)* stand out. The park protects a great ecosystem of hydrographic basins and is home to the largest population of wild purple orchid *(Guarianthe skinneri)*, the national flower. A biological corridor links Rincón de la Vieja National Park and Guanacaste and Santa Rosa parks, forming a huge park of 86,000 hectares.

Rincón de la Vieja is one of the volcanos in the Guanacaste Mountains. You can reach the offices in the Pailas sector from Liberia via Panamerican Highway Guadalupe-Curubandé-Offices (25 km) on paved and grit roads. There are several trails to interesting geological and biological sites, as well as a campsite.

EN EL PARQUE NACIONAL Rincón de la Vieja se localiza la mayor población en estado silvestre hasta ahora conocida en el país de una bellísima orquídea de un llamativo color morado, conocida como la guaria morada, que ha sido declarada flor nacional de Costa Rica.

RINCÓN DE LA VIEJA National Park hosts the largest known population in the wild in Costa Rica of an extremely lovely orchid of an eye-catching purple color. Known as 'guaria morada', it has been declared the national flower.

mud and pyroclasts, the most recent eruptions taking place in 1991-1992, 1995 and 1998.

At the foot of the volcano on the south-western side there are four areas of surface activity. The site, called Las Pailas and covering 50 hectares, features thermal springs, solfatara lagoons, orifices with spurting jets of steam and little mud volcanoes, where the mud is constantly bubbling due to escaping steam and sulphurous gases. This area is a major tourist attraction.

REFUGIO NACIONAL DE FAUNA SILVESTRE BAHÍA JUNQUILLAL

Es un área recreativa que incluye una extensa playa blanca de gran belleza escénica, de oleaje muy suave y de aguas muy transparentes y ligeramente más frías que en el resto de la costa pacífica del país. En esta playa desovan tortugas marinas, y muy cerca de ella se descubrieron los restos de un asentamiento prehispánico de un pueblo agricultor, cazador y recolector de productos marinos.

El bosque seco se extiende hasta el borde de la playa; existen también pequeñas áreas de manglar dominadas por el mangle rojo gigante *(Rhizophora racemosa)*. Las tijeretas de mar *(Fregata magnificens)* y los pelícanos alcatraces *(Pelecanus occidentalis)*, que son aquí muy abundantes, anidan en las islas e islotes ubicados frente a la costa, como las islas Los Muñecos y Juanilla. Durante los meses de diciembre-febrero es posible observar ballenas jorobadas *(Megaptera novaeangliae)*, que alcanzan hasta 15 metros de largo, nadando a corta distancia de la playa, y se ha mencionado también la presencia de los inofensivos y gigantescos tiburones ballena *(Rhincodon typus)*.

La Administración de esta sección, que cuenta con un área para acampar, se localiza 5 km al norte de Cuajiniquil, por camino lastrado.

REFUGIO NACIONAL DE VIDA SILVESTRE IGUANITA

Esta área recreativa forma parte del Proyecto Turístico de Papagayo e incluye una playa de gran belleza escénica, un manglar muy bien conservado –con predominio de mangles colorados *(Rhizophora mangle* y *R. racemosa)*–, un estero y un remanente de bosque seco. Tanto la playa como el estero son muy adecuados para la natación. Los monos congo *(Alouatta palliata)* y los garrobos *(Ctenosaura similis)* son aquí muy comunes. Se puede llegar hasta la playa por una carretera de tierra que parte de la vía que conduce a Papagayo.

ESTACIÓN EXPERIMENTAL FORESTAL HORIZONTES

Esta estación fue creada con el propósito de estudiar la utilización de especies forestales nativas del bosque seco en programas de reforestación en todo el Pacífico Seco, y de promover el desarrollo de investigaciones dasonómicas con un enfoque productivo. Cuenta con oficinas, salas de conferencias, comedor y habitaciones hasta para 60 personas. Se localiza a 40 km de Liberia, en ruta hacia Papagayo, por carretera en parte pavimentada y en parte lastrada.

De izquierda a derecha, un martinete coronado, ave característica de humedales y cursos fluviales, una de las muchas cascadas que salpican los densos bosques del parque Rincón de la Vieja, y un ejemplar de pizote.

From left to right, a yellow-crowned night heron, typical of wetlands and river courses, one of the many waterfalls dotted around the thick forest in Rincón de la Vieja park, and a coati.

BAHÍA JUNQUILLAL
NATIONAL WILDLIFE REFUGE

This recreation area has a very beautiful extensive white beach with gentle waves and very clear water that is slightly colder than along the rest of the Pacific coast of the country. Marine turtles lay their eggs on this beach, and very close to it are the remains of a pre-Hispanic settlement of a people who farmed, hunted and harvested marine life.

The dry forest extends as far as the beach and there are also small patches of mangrove dominated by red mangrove *(Rhizophora mangle)*. The magnificent frigatebird *(Fregata magnificens)* and the brown pelicans *(Pelecanus occidentalis)*, which are very abundant here, nest on the islands and islets off the coast, such as the Los Muñecos and Juanilla Islands. From December to February it is possible to observe humpbacked whales *(Megaptera novaeangliae)*, up to 15 m long, swimming a short distance from the beach. Gigantic, but inoffensive, whale sharks *(Rhincodon typus)* are also said to frequent the area. The park offices (and campsite) for this sector are 5 km north of Cuajiniquil along a dirt track.

IGUANITA NATIONAL WILDLIFE REFUGE

This area is part of the Papagayo Tourism Project. It includes a lovely beach, a very well conserved mangrove swamp – with chiefly red mangroves *(Rhizophora mangle and R. racemosa)* –, an intertidal marsh and a remnant patch of dry forest. The beach and the marsh estero are very good for swimming. Howler monkeys *(Alouatta palliata)* and spiny-tailed iguanas *(Ctenosaura similis)* are very common. You can get to the beach via a dirt track off the road to Papagayo.

HORIZONTES EXPERIMENTAL
FORESTRY STATION

This station was set up with the aim of studying use of native dry forest species in reforestation programmes throughout the Dry Pacific and of promoting the development of research with the emphasis on production. There are offices, conference rooms, a dining room and bedrooms for up to 60 people. It is situated 40 km from Liberia on the way to Papagayo along a road that is partly paved and partly grit.

*t*EMPISQUE

El río Tempisque (izquierda), uno de los cursos fluviales más importantes de Costa Rica, vierte sus aguas en el fondo del estrecho y profundo golfo de Nicoya. A la derecha, zopilotes devorando los numerosos nidos de tortugas lora en la playa del Refugio de Fauna Silvestre Ostional. Abajo, un martinete cucharón o chocuaco.

The Tempisque (left), one of Costa Rica's major rivers, drains into the narrow and deep Gulf of Nicoya. Right, black vultures devouring the many Atlantic ridley turtle nests on the beach in Ostional Wildlife Refuge. Below, a fasciated tiger heron.

PARQUE NACIONAL MARINO LAS BAULAS DE GUANACASTE

NADA MÁS NACER LAS pequeñas tortuguitas baulas deben alcanzar rápidamente la orilla del mar, ya que es durante este trayecto por la playa cuando más expuestas están a ser capturadas por sus numerosos predadores.

ONCE THE BABY LEATHERBACKS HATCH, they must make for the water's edge as quickly as possible since on their way across the sand they are highly exposed and liable to fall victim to their many predators.

LAS PLAYAS GRANDE Y LANGOSTA, que forman parte de este parque, constituyen el sitio más importante de todo el Pacífico Oriental para el desove de la tortuga marina baula *(Dermochelys coriacea)*. Esta especie, que es la más grande de todas las tortugas de mar, es de color azul oscuro, presenta 7 quillas o abultamientos alargados en su caparazón y puede alcanzar más de 2 m de longitud total y hasta 700 kg de peso. Además de la baula, durante las noches de octubre a marzo de cada año llegan a desovar loras *(Lepidochelys olivacea)*, verdes del Pacífico *(Chelonia agassizi)* y careys *(Eretmochelys imbricata)*. Actualmente, la organización conservacionista *The Leatherback Trust* lleva a cabo una campaña internacional para

Las Baulas de Guanacaste National Marine Park

The beaches of Playa Grande and Playa Langosta, which comprise this park, are the most important laying site for leather-back turtles *(Dermochelys coriacea)* in the whole of the Eastern Pacific area. This species, the largest of all the sea turtles, is dark blue with 7 keels or elongated bulges on its shell. It can grow to 2 m in total length and weigh up to 700 kg.

Besides the leatherbacks, from October to March each year, olive ridley turtles *(Lepidochelys olivacea)*, Pacific green turtles *(Chelonia agassizi)* and hawksbill turtles *(Eretmochelys imbricata)* arrive by night to lay their eggs. The conservation organization 'The Leatherback Trust' is conducting an international campaign to consolidate the national park.

Playa Grande constituye el más importante sitio del Pacífico oriental para el desove de la amenazada tortuga baula. A ella también acuden para nidificar otras especies de tortugas marinas.

Playa Grande is the most important laying site in the eastern Pacific for the threatened leatherback turtle. Other species of marine turtles also go there to nest.

comprar tierras con el propósito de consolidar territorialmente este parque nacional.

En el manglar, que abarca unas 440 ha, se encuentran las seis especies de mangle conocidas en la costa pacífica costarricense; destaca por su abundancia el mangle rojo gigante (*Rhizophora racemosa*), que forma grandes rodales casi puros con ejemplares que superan los 30 m de altura. La fauna en este humedal es bastante diversa y abundante; se han observado 57 especies de aves, incluyendo la bella espátula rosada (*Platalea ajaja*), y pueden observarse caimanes (*Caiman crocodylus*) y cocodrilos (*Crocodylus acutus*). Este manglar fue incorporado en 1993 a la Lista de los Humedales de Importancia Internacional de Ramsar. Un bosque seco intervenido cubre el resto de la superficie del parque; los árboles más comunes son el panamá (*Sterculia apetala*), el guácimo (*Guazuma ulmifolia*) y el vainillo (*Tecoma stans*).

Los mamíferos más abundantes en el parque son el mapachín (*Procyon lotor*), el pizote (*Nasua narica*) y el mono congo (*Alouatta palliata*) –considerado como uno de los animales terrestres más ruidosos del mundo–. En la playa son comunes las gaviotas (*Larus* sp.) y los correlimos o patudos (*Calidris* sp.), así como cangrejos de diversas especies.

El Parque Las Baulas se localiza en el centro de la provincia de Guanacaste, sobre la costa del Pacífico. A la Administración se llega vía San José-Liberia-Cartagena-Huacas-Playa Grande (296 km), por carretera pavimentada, excepto la última parte que es lastrada. En el parque existe una estación biológica propiedad de *The Leatherback Trust* y un museo dedicado a las tortugas.

The mangrove swamp, which covers around 440 ha, is home to six mangrove species known on the Pacific coast of Costa Rica. The red mangrove *(Rhizophora mangle)* stands out in terms of numbers, and forms large, almost pure stands with some specimens over 30 m high. The animal life in this wetland is quite diverse and abundant. Fifty seven species of birds, including the beautiful roseate spoonbill *(Ajaia ajaja)*, have been recorded. There are caymans *(Caiman crocodylus)* and crocodiles *(Crocodylus acutus)*. This mangrove area was included on the Ramsar List of Wetlands of International Importance in 1993. Disturbed dry forest covers the rest of the park land; the most common trees are the Panama tree *(Sterculia apetala)*, 'guácimo' *(Guazuma ulmifolia)* and yellow bells or yellow trumpet flowers *(Tecoma stans)*.

The most common mammals in the park are common racoon *(Procyon lotor)*, white-nosed coati *(Nasua narica)* and howler monkey *(Alouatta palliata)*, which is considered to be one of the noisiest terrestrial mammals in the world. On the beach, gulls *(Larus sp.)* and waders of the genus *Chalidris* are common, together with crabs of various species.

Las Baulas Park is located in the centre of Guanacaste province on the Pacific coast. Visitors can get to the offices via San José-Liberia-Cartagena-Huacas-Playa Grande (296 km), mostly along an asphalted road, except for the last part, which is a dirt track. The park hosts a biological station belonging to The Leatherback Trust, and a turtle museum.

En el manglar de Tamarindo (abajo) se desarrollan seis especies de mangle dominadas por grandes rodales casi puros de mangle rojo cuyos ejemplares alcanzan los 30 metros de altura. A la izquierda, un cangrejo marino en Playa Grande.

In Tamarindo Mangrove Swamp (below) six species of mangrove grow with a predominance of large, almost pure, tracts of red mangrove, with specimens up to 30 meters high. On the left, a sea crab on Playa Grande.

PARQUE NACIONAL BARRA HONDA

UNA DE LAS SERPIENTES más llamativas de Costa Rica es la falsa coral, que a diferencia de las auténticas corales no es una especie venenosa para el hombre.

ONE OF THE MOST striking snakes in Costa Rica is the false coral, which unlike the true coral snakes is not poisonous to people.

EL CERRO BARRA HONDA, de unos 450 m de altura, está constituido por calizas de plataforma de unos 57-50 millones de años de antigüedad, que contienen abundantes foraminíferos planctónicos, y que emergieron a causa de un solevantamiento provocado por fallas. Estas calizas se han usado como rocas ornamentales con el nombre de mármol nicoyano. De flancos escarpados, particularmente en su parte sur, la cima, que es casi llana, presenta rocas de formas caprichosas, muy erosionadas y de filos cortantes, que conforman un tipo de paisaje conocido como "lapiaz."

El cerro contiene uno de los más amplios sistemas de cavernas conocidos en Costa Rica; cuenta con unas 42 cavernas independientes unas de otras, de las que hasta la fecha se han explorado sólo la mitad. La más profunda es la de Santa Ana, con 240 m. Las más decoradas son La Terciopelo, La Trampa y La Santa Ana, donde se observa gran profusión de estalagmitas, estalactitas, columnas, perlas, flores y agujas de yeso, helicitas, palomitas de maíz, champiñones, dientes de tiburón y otras decoraciones. Una de las figuras de La Terciopelo se denomina El Órgano, porque emite diversos tonos cuando se golpea suavemente sus paredes. La Trampa presenta también el más profundo precipicio, con 52 m de caída vertical; esta caverna posee también las salas de mayor tamaño. La Pozo Hediondo, de 60 m, que debe su hedor al guano de los murciélagos, es

BARRA HONDA
NATIONAL PARK

THE 450 M-HIGH BARRA HONDA HILL consists of platform limestone roughly 57-50 million years old and containing numerous planktonic foraminera. The limestone, which emerged due to an uplift caused by faults, has been used for ornamental purposes under the name 'Nicoyan marble'. Steep-sided, particularly on the southern face, and almost flat at the top, it is capriciously fashioned, highly eroded and has sharp edges, all features of a lapies landscape.

The hill has one of the most extensive cave systems in Costa Rica, with about 42 separate caverns, only half of which have so far been explored. The deepest is Santa Ana at 240 metres. The most elaborate are La Terciopelo, La Trampa and La Santa Ana, where there is a great profusion of stalagmites, stalactites, columns, pearls, flowers, gypsum needles, helictites, popcorn, mushrooms, shark's teeth and others. One of the figures in La Terciopleo is known as El Órgano because its walls emit different sounds when gently struck. La Trampa has the deepest precipice, with a 52 m vertical drop, and the largest halls. Sixty-metre Pozo Hediondo is the only one to host large numbers of bats, whose guano creates quite a stench. In La Nicoa large quantities of human remains, utensils and adornments of pre-Colombian native origin have been found.

El sendero Los Laureles (abajo, izquierda), uno de los que recorren el interior del bosque, conduce hasta El Mirador, en la cima del cerro Barra Honda. Abajo, la entrada a una de las más de cuarenta simas que conforman el sistema de cavernas de este parque nacional.

Los Laureles Trail (below left) is one of several leading through the forest interior to El Mirador (look-out point) on the top of Barra Honda hill. Below, the entrance to one of the over forty fissures comprising the cave systems in this national park.

la única que tiene abundancia de estos mamíferos. En la Nicoa fueron encontrados gran cantidad de restos humanos,
utensilios y adornos indígenas precolombinos.

El cerro está cubierto por una vegetación principalmente
caducifolia en la que destacan el pochote (Bombacopsis quinata) y el indio desnudo (Bursera simaruba). Alberga una fauna
medianamente variada, entre la que se encuentran los monos
carablanca (Cebus capucinus), los coyotes (Canis latrans) y los
venados (Odocoileus virginianus).

En el parque existen tres áreas de interés muy particular: El
Mirador, que se encuentra en el borde sur de la cima, desde
donde se domina una gran parte del golfo de Nicoya; Los Mesones, que contiene un bosque siempreverde de gran altura y
de donde se lleva el agua a varios pueblos vecinos, y La Cascada, en la que se observan bellísimos depósitos escalonados
de tufa calcárea que forman una singular cascada.

Barra Honda se localiza en el área denominada Bajuras del
Tempisque. A la Administración se llega desde Nicoya vía
Quebrada Honda-Nacaome (22 km), por carretera en parte
pavimentada y en parte lastrada. En el parque existen varios
senderos que conducen a sitios de interés y hay un área para
acampar. En la Administración se da información sobre con-
tratación de guías y alquiler de equipo de espeleología.

*El HALCÓN REIDOR O GUACO, una de las rapaces que vive
tanto en las áreas abiertas como en las áreas boscosas
del bosque seco del Pacífico norte de Costa Rica, también
está presente en Barra Honda.*

*THE LAUGHING FALCON OR GUACO, one of the birds
of prey that lives both in open areas and in areas of dry
forest in Costa Rica's northern Pacific; it also occurs
in Barra Honda.*

The hill is covered in mainly deciduous vegetation such as 'pochote' *(Bambacopsis quinata)* and the gumbo-limbo tree *(Bursera simaruba)*. It hosts fairly varied fauna, including white-faced capuchin monkeys *(Cebus capucinus)*, coyotes *(Canis latrans)* and white-tailed deer *(Odocoileus virginianus)*.

Three particularly interesting sites in the park are: El Mirador (look-out point) at the southern edge of the summit, from where one can see a large part of the Gulf of Nicoya; Los Mesones, which contains a very tall evergreen forest and from where water is transported to several surrounding towns, and La Cascada where extremely beautiful terraced deposits of calcareous tufa form an amazing waterfall.

Barra Honda is located in the area known as Bajuras del Tempisque. Visitors can get to the offices from Nicoya via Quebrada Honda-Nacaome (22 km) along a partly paved and partly grit road. Several paths lead to interesting spots, and there is a campsite. Information on hiring guides and caving equipment is available at the offices.

La decoración de los techos y paredes (arriba) de las cavernas de Barra Honda es espectacular. Abajo, la belleza de las laderas del parque nacional.

The roofs and walls (above) of Barra Honda's caves are spectacularly decorated. Below, the beauty of the slopes in the national park.

PARQUE NACIONAL DIRIÁ

LA RIQUEZA DE VERTEBRADOS de este parque nacional es notable. Se han censado hasta 134 especies de aves y 32 especies de mamíferos, entre los que sobresale, debido a la facilidad con que puede ser observado, el venado cola blanca.

THIS NATIONAL PARK'S WEALTH of vertebrates includes as many as 134 bird species and 32 mammals, such as white-tailed deer, which are easy to spot.

PROTEGE LOS BOSQUES SECOS que conforman las cuencas de los ríos Diriá, Enmedio, Verde y Tigre, que suministran agua para la ciudad de Santa Cruz y pueblos vecinos. El río Diriá, en particular, tiene excelentes pozas para la natación. La vegetación está conformada por bosques secundarios, bosques de galería, remanentes de bosques primarios y tacotales; algunas de las especies de árboles aquí presentes son el ron-ron (*Astronium graveolens*), el tempisque (*Sideroxylum capiri*), el ceiba (*Ceiba pentandra*), el guapinol (*Hymenaea courbaril*), el cocobolo (*Dalbergia retusa*) –en peligro de extinción–, el chaperno (*Lonchocarpus phaseolifolius*) y dos especies de cedros (*Cedrela odorata* y *C. salvadorensis*). Algunas de las especies endémicas encontradas recientemente en este parque son la bromelia *Pitcairnia calcicola*, el chaperno nicoyano (*Lonchocarpus nicoyensis*) y el cardón (*Stenocereus aragonii*) –un cacto con tallo candelabriforme que alcanza hasta ocho metros de altura.

La fauna de esta área protegida ha resultado ser bastante diversa. Se han observado 32 especies de mamíferos, incluyendo 17 de murciélagos. Algunas de estas especies son los venados (*Odocoileus virginianus*), los monos congo (*Alouatta palliata*), los osos colmeneros (*Tamandua mexicana*) y los saínos (*Pecari tajacu*). Se han registrado 134 especies de aves, incluyendo al impresionante zopilote rey (*Sarcoramphus papa*), la pava cojolita (*Penelope purpurascens*) –ave de gran tamaño de color café con papada roja–, la espátula rosada (*Platalea ajaja*) –toda de color rosado–, la amazona frentialba (*Amazona albifrons*) y la catita churica (*Brotogeris jugularis*). Se han observado también unas 20 especies de anfibios y reptiles, incluyendo a la boa constrictora (*Boa constrictor*).

Este parque forma parte del proyecto denominado Corredor Biológico Diriá, que lo conectaría con los parques Baulas y Barra Honda. Constituye también el área recreativa más atractiva de la ciudad de Santa Cruz, de la que dista 11 km por carretera en parte pavimentada y en parte lastrada. En el punto más alto de esta área protegida, a 960 m de altitud, existe una torre de transmisión que constituye un excelente mirador.

DIRIÁ
NATIONAL PARK

T PROTECTS THE DRY FORESTS making up the basins of the Diriá, Enmedio, Verde and Tigre rivers, which supply water to the city of Santa Cruz and neighbouring towns. The River Diriá, in particular, has excellent pools for swimming. The vegetation comprises secondary forests, gallery forests, remnants of primary and tacotal forests; some of the tree species are gonçalo alves *(Astronium graveolens)*, 'tempisque' *(Sideroxylum capiri)*, silk cotton trees *(Ceiba pentandra)*, 'guapinol' *(Hymenaea courbaril)*, 'cocobolo' *(Dalbergia retusa)* –threatened–, 'chaperno' *(Lonchocarpus phaseolifolius)* and two species of cedars *(Cedrela odorata* and *C. salvadorensis)*.

Some of the endemic species found in this park recently are *Pitcairnia calcicola*, 'chaperno nicoyano' *(Lonchocarpus nicoyensis)* and 'cardón' *(Stenocereus aragonii)* – a cactus with candelabra-shaped stalks that can grow up to eight metres high.

The wildlife in this protected area is fairly diverse. The thirty two mammal species, including 17 types of bats, include white-tailed deer *(Odocoileus virginianus)*, howler monkeys *(Alouatta palliata)*, northern tamandua *(Tamandua mexicana)* and collared peccary *(Tayassu tajacu)*.

There are 134 bird species, including the imposing king vulture *(Sarcoramphus papa)*, crested guan *(Penelope purpurascens)* – a large coffee-coloured bird with a red chin pouch, roseate spoonbill *(Platalea ajaja)* – all pink –, white-fronted amazon *(Amazona albifrons)* and orange-chinned parakeet *(Brotogeris jugularis)*.

About 20 species of amphibians and reptiles have also been recorded in this protected area, including boa constrictor *(Boa constrictor)*.

This park is part of the project known as the Diriá Biological Corridor, which links up with Baulas and Barra Honda parks. It is 11 km from Santa Cruz along partly paved and partly grit roads. At its highest point (960 m), a transmission tower makes an excellent vantage point.

ESTA ÁREA PROTEGIDA, que forma parte de un proyecto de corredor biológico que uniría los parques nacionales de Baulas de Guanacaste y Barra Honda, protege los bosques secos (abajo) de las cuencas de cuatro ríos.

THIS CONSERVATION AREA, part of a project for a biological corridor joining Baulas de Guanacaste and Barra Honda national parks, preserves dry forest (below) in the basins of four rivers.

Reservas Biológicas Guayabo, Negritos y de los Pájaros

Estas cuatro islas –las Negritos son dos– que se hallan situadas en ambos extremos del golfo de Nicoya, deben su origen a los movimientos tectónicos que formaron este golfo. La isla Guayabo es un imponente bloque de roca sedimentaria de unos 50 m de altura, con forma romboidal y un difícil acceso; su importancia radica en que es la mayor de las cuatro áreas de nidificación del pelícano alcatraz *(Pelecanus occidentalis)* que se conocen en el país, con una población de 200 a 300 individuos. Las islas Negritos, formadas por basaltos y brechas del complejo de Nicoya, están cubiertas por un bosque semideciduo, cuyos árboles dominantes son el flor blanca *(Plumeria rubra),* el pochote *(Bombacopsis quinata),* el madroño *(Calycophyllum candidissimum)* y el indio desnudo *(Bursera simaruba).* La isla de los Pájaros es más o menos redonda y tiene forma de domo; en ella domina una especie de arbusto, el güísaro *(Psidium guineense).*

Refugio Nacional de Fauna Silvestre Ostional

La extensa playa Ostional, junto con la playa Nancite en el Parque Santa Rosa, constituyen las dos áreas más importantes del Pacífico Oriental para la nidificación de la tortuga marina lora *(Lepidochelys olivacea),* la más abundante de las ocho especies de quelonios marinos que existen. La zona habitual de desove, de unos 900 metros de largo, se localiza entre el estero del río Ostional, que corre paralelo a la playa, y una punta rocosa que se adentra en el mar. Durante los meses de julio a noviembre tienen lugar las grandes arribadas de hasta 300.000 tortugas, lo que constituye un espectáculo extraordinario, que normalmente se producen en la noche y durante el cuarto menguante. Los huevos desenterrados en forma natural por otras tortugas que anidan posteriormente son aprovechados por los zopilotes negros *(Coragyps atratus),* las tijeretas de mar o rabihorcados magníficos *(Fregata magnificens),* los cangrejos fantasma *(Ocypode* sp.) y los coatíes *(Nasua narica),* y también, en forma controlada, por los habitantes del área integrados en una cooperativa.

También desovan aquí ocasionalmente la tortuga baula *(Dermochelys coriacea)* y la verde del Pacífico *(Chelonia agassizi).* La escasa vegetación del refugio está formada por un bosque mixto de especies caducifolias, entre las cuales se encuentra el árbol flor blanca *(Plumeria rubra).* Al sureste de la desembocadura del río Nosara existe un manglar de considerable tamaño, donde se han identificado más de un centenar de especies de aves.

De izquierda a derecha, costa rocosa y tortuguitas loras saliendo de su nido en la extensa playa del Refugio Nacional de Fauna Silvestre Ostional, y una de las dos islas Negritos, formada por basaltos y brechas del complejo Nicoya.

From left to right, rocky coast and Atlantic ridely turtles leaving their nests on the beach of Ostional National Wildlfe Refuge, and one of the two Negritos Islands, which consist of basalts and breccia and are part of the Nicoya Complex.

Guayabo, Negritos y de los Pájaros Biological Reserves

These four islands (there are two Negritos Islands) are situated at both ends of the Gulf of Nicoya. They originated in tectonic movements which formed the gulf. Guayabo Island is a large block of rhomboid-shaped sedimentary rock about 50 m high. Access to it is difficult from the pebble beach, which is the result of a landslide. Its importance lies in the fact that, with between 200 and 300 birds, it is the largest of the four known nesting sites for the brown pelican *(Pelecanus occidentalis)* in the country.

The Negritos Islands, consisting of basalts and breaches of the Nicoya complex, are covered in semi-deciduous forest. The predominant trees are frangipani *(Plumeria rubra),* spiny cedar *(Bombacopsis quinata),* lancewood *(Calycophyllum candidissimum)* and gumbo-limbo *(Bursera simaruba).*

Isla de los Pájaros is more or less round and dome-shaped. The predominant species is wild guava *(Psidium guineense).*

Ostional National Wildlife Refuge

Extensive Ostional Beach and Nancite Beach in Santa Rosa park represent the two most important nesting areas in the Oriental Pacific for the olive ridley sea turtle *(Lepidochelys olivacea),* the most numerous of the eight marine turtles. The usual laying zone, some 900 m long, is situated between the estuary of the Ostional River, which runs parallel to the beach, and a rocky point that extends into the sea. From July to November, up to 300,000 turtles gather in great numbers, creating an amazing spectacle that usually occurs at night and during the waning quarter of the moon.

Eggs buried naturally by other turtles that nest later are snatched by black vultures *(Coragyps atratus),* magnificent frigatebirds *(Fregata magnificens),* ghost crabs *(Ocypode* sp.) and coatis *(Nasua narica),* and also, in a regulated way, by members of a local cooperative.

The leatherback turtle *(Dermochelys coriacea)* and the Pacific green *(Chelonia agassizi)* also occasionally lay there. The refuge's scarce vegetation is made up of mixed woodland of deciduous species, including the frangipani *(Plumeria rubra).* To the southeast of the mouth of the River Nosara there is quite a large mangrove swamp where over one hundred bird species have been recorded.

REFUGIO NACIONAL DE VIDA SILVESTRE CURÚ

A pesar de su pequeño tamaño, Curú cuenta con diversos hábitats como el bosque caducifolio –compuesto principalmente por especies que pierden sus hojas en la estación seca–, el bosque seco de ladera –de baja altura y localizado cerca de la costa–, el manglar y la vegetación de playa. Algunos de los árboles más grandes de los bosques secos son el ceiba *(Ceiba pentandra)*, el cristóbal de Curú *(Platymiscium curuense)* –nueva especie para la ciencia descubierta en el refugio en la década de los 90–, el ron-ron *(Astronium graveolens)* y el almendro de montaña *(Andira inermis)* –muy vistoso en época seca debido a su follaje siempreverde. El manglar, localizado detrás de la bella playa Curú, contiene grandes árboles de mangle rojo gigante *(Rhizophora racemosa)* y permite navegarlo durante la marea alta. Los mapaches *(Procyon lotor)* y los monos congo *(Alouatta palliata)* y carablanca *(Cebus capucinus)* son muy abundantes. En las aguas y en las rocas próximas a la costa se observan ostiones *(Ostrea iridescens)* –especie que casi ha desaparecido–, cambutes *(Strombus galeatus)* y langostas *(Panulirus* sp.).

REFUGIO NACIONAL DE VIDA SILVESTRE
LAGUNA MATA REDONDA

Se trata de un humedal palustrino estacional de tipo dulce-mixosalino, hábitat preferente para la alimentación y reproducción de más de 60 especies de aves acuáticas, residentes y migratorias, principalmente el suirirí piquirrojo *(Dendrocygna autumnalis)*, la espátula rosada *(Platalea ajaja)*, la cerceta aliazul *(Anas discors)*, el carrao *(Aramus guarauna)*, el garzón o tántalo americano *(Mycteria americana)* y el jabirú americano o galán sin ventura *(Jabiru mycteria)*. Se puede llegar en vehículo todoterreno desde el poblado de Rosario, localizado a 6 km de Puerto Humo, a orillas del Tempisque.

REFUGIO NACIONAL DE VIDA SILVESTRE CAMARONAL

Este refugio es particularmente importante para la protección de tortugas marinas, debido a que la playa Camaronal es un sitio de nidificación para tortugas baula *(Dermochelys coriacea)*, lora *(Lepidochelys olivacea)* y carey *(Eretmochelys imbricata)*, la más escasa de todas. La playa, que ha conservado mucho de su vegetación litoral, es de gran belleza escénica y de oleaje fuerte. Una carretera de lastre que parte de Estrada Rávago, cerca de Playa Carrillo, permite llegar hasta este refugio.

REFUGIO NACIONAL DE VIDA SILVESTRE
WERNER SAUTER

Está constituido por un bosque seco con grandes árboles de tempisque *(Sideroxylon capiri)*, ceiba *(Ceiba pentandra)*, roble de sabana *(Tabebuia rosea)* y cedro amargo *(Cedrela odorata)*. Se han identificado unas 40 especies de aves, incluyendo la urraca copetona *(Calocitta formosa)*, el momoto

De izquierda a derecha, playa Quesera en el Refugio Nacional de Vida Silvestre Curú; un pizote, carnívoro arborícola bastante fácil de ver; una serpiente tamaga, y zopilotes a la espera de que nazcan las tortuguitas en la playa de Ostional.

From left to right, Quesera Beach in Curú National Wildlife Refuge; a white-nosed coati, an arboreal carnivore that is quite easy to spot; a tamaga snake, and black vultures waiting for baby turtles to hatch on Ostional Beach.

CURÚ NATIONAL WILDLIFE REFUGE

In spite of being small, Curú can boast a diversity of habitats such as deciduous forest, chiefly comprising species that shed their leaves in the dry season; dry slope forest – low-altitude and near the coast; mangrove swamp and beach vegetation. Some of the largest trees in the dry forests are silk cotton tree (*Ceiba pentandra*), 'cristóbal de Curú' (*Platymiscium curuense*) – a species new to science that was discovered in the nineties –, gonçalo alves (*Astronium graveolens*) and 'almendro de montaña' (*Andira inermis*) – very showy in the dry season thanks to its evergreen foliage. The mangrove swamp behind lovely Curú Beach contains large red mangrove trees (*Rhizophora racemosa*) and can be navigated at high tide. Raccoons (*Procyon lotor*), howler monkeys (*Alouatta palliata*) and white-throated capuchins (*Cebus capucinus*) are very common. In the water and on the seaside rocks, it is possible to spot the oysters *Ostrea iridescens* – a species that has almost disappeared –, giant conches (*Strombus galeatus*) and lobsters (*Panulirus* sp.).

LAGUNA MATA REDONDA NATIONAL WILDLIFE REFUGE

This seasonal palustrine fresh-mixosaline wetland is the favourite feeding and breeding habitat for over 60 species of resident and migratory water birds, mainly black-bellied whistling-duck (*Dendrocygna autumnalis*), roseate spoonbill (*Ajaia ajaja*), blue-winged teal (*Anas discors*), limpkin (*Aramus guarauna*), wood stork (*Mycteria americana*) and jabiru (*Jabiru mycteria*). You can get there in a four-wheeled drive vehicle from Rosario, 6 km from Puerto Humo, on the banks of the Tempisque.

CAMARONAL NATIONAL WILDLIFE REFUGE

This refuge is particularly important for the protection of sea turtles as Camaronal Beach is a nesting site for leatherback turtles (*Dermochelys coriacea*), olive ridley turtles (*Lepidochelys olivacea*) and hawksbills (*Eretmochelys imbricata*), the rarest of all. The beach has conserved a lot of its coastal vegetation and is very beautiful, with big waves. A grit road from Estrada Rávago near Carrillo Beach leads to the refuge.

WERNER SAUTER NATIONAL WILDLIFE REFUGE

This national refuge consists of a dry forest with large tempisque trees (*Sideroxylon capiri*), silk-cotton tree (*Ceiba pentandra*), 'roble de sabana' (*Tabebuia rosea*) and cigar box cedar (*Cedrela odorata*). Around 40 bird species are found there, including white-throated magpie

cejiazul (*Eumomota superciliosa*) y la chachalaca norteña (*Ortalis vetula*). Los monos congo (*Alouatta palliata*) y carablanca (*Cebus capucinus*) son comunes.

REFUGIO NACIONAL DE VIDA SILVESTRE ROMELIA

Protege una porción del bosque seco tropical y de la costa en la península de Nicoya, al suroeste de Montezuma. El bosque, que es de segundo crecimiento, incluye especies como el pochote (*Bombacopsis quinata*), el guácimo (*Guazuma ulmifolia*) y el indio desnudo (*Bursera simaruba*). La costa, en parte arenosa y en parte rocosa, es de gran belleza escénica. Se llega hasta este refugio caminando por la playa desde Montezuma.

REFUGIO NACIONAL DE VIDA SILVESTRE ISLA CHORA

Se trata de un islote de 5 ha que se localiza al extremo sureste de la bahía Sámara, en Guanacaste. Contiene un bosque seco ralo de baja altura, que constituye un refugio muy importante para aves marinas como pelícanos alcatraces (*Pelacanus occidentalis*) y gaviotas (*Larus* sp.), así como para reptiles como iguanas (*Iguana iguana*) y garrobos (*Ctenosaura similis*).

ZONA PROTECTORA CERRO DE LA CRUZ

Se localiza a 1 km al sur de Nicoya y está constituida por remanentes de bosques secos, bosques secundarios, tacotales y pastizales. Protege varias cuencas hidrográficas y es un sitio

de recreación para los habitantes de la ciudad, ligado a tradiciones precolombinas y religiosas. Un camino de tierra que parte de las cercanías de Nicoya permite acceder hasta la cima del cerro.

ZONA PROTECTORA NOSARA

Contiene bosques secundarios, charrales y pequeñas áreas de bosques primarios, de importancia para la conservación de la cuenca hidrográfica que surte de agua a Hojancha. Se trata de un excelente lugar para observar la avifauna; el número de especies de aves inventariadas es de 126. La Fundación Montealto ha abierto aquí un museo y ofrece instalaciones para el ecoturismo y la investigación científica. Una carretera de tierra que parte de Hojancha permite llegar hasta esta zona protectora.

ZONA PROTECTORA PENÍNSULA DE NICOYA

Está conformada por siete unidades de bosques localizados en las partes altas de las montañas del centro de la península. Estos bloques, que contienen bosques primarios intervenidos, bosques secundarios, tacotales y potreros, tienen la importante función de proteger las cuencas hidrográficas de las cuales se surten de agua Jicaral, Lepanto, Paquera y Cóbano. En estos bosques crece la guaria morada (*Guarianthe skinneri*), la flor nacional. Algunos caminos de tierra que parten de estas poblaciones permiten adentrarse un poco en esta zona protectora.

DE IZQUIERDA A DERECHA, árboles indios desnudos dominando el bosque deciduo de esta área de conservación; una pareja de caracaras caranchos o cargahuesos; el ave nacional de Costa Rica, el yigüirro, también conocido como mirlo pardo, y manglares.

FROM LEFT TO RIGHT, gumbo-limbo trees are prevalent in the deciduous woodland of this conservation area; a pair of crested caracaras; Costa Rica's national bird, the clay-coloured robin; and mangrove swamps.

jay *(Calocitta formosa)*, turquoise-browed motmot *(Eumomota superciliosa)*, and the plain chachalaca *(Ortalis vetula)*. Mantled howler monkeys *(Alouatta palliata)* and white-throated capuchins *(Cebus capucinus)* are common here.

ROMELIA NATIONAL WILDLIFE REFUGE

It protects part of the dry tropical forest and the coast of the Nicoya Peninsula south-west of Montezuma. The forest, which is secondary growth, includes 'pochote' *(Bombacopsis quinata)*, guácimo *(Guazuma ulmifolia)* and gumbo limbo tree *(Bursera simaruba)*. The coast, which is partly sandy and partly rocky, is scenically very beautiful. It can be reached on foot along the beach from Montezuma.

ISLA CHORA NATIONAL WILDLIFE REFUGE

This five-hectare islet lies at the south-eastern end of Sámara Bay in Guanacaste. Containing low and sparse dry woodland, it is a very important refuge for seabirds such as brown pelicans *(Pelacanus occidentalis)* and gulls *(Larus* sp.*)*, as well as reptiles like iguanas *(Iguana iguana)* and black iguanas *(Ctenosaura similis)*.

CERRO LA CRUZ PROTECTION ZONE

Located 1 km south of Nicoya City, it is made up of remnants of dry forest, secondary forest, shrub and grassland. It protects several hydrographic basins and is a recreation site for city dwellers, associated with pre-Columbian and religious traditions. A dirt road leaves the outskirts of Nicoya and leads to the top of the hill.

NOSARA PROTECTION ZONE

It contains secondary forest, 'charrales' and small areas of primary forest, important for the conservation of the drainage basin that supplies Hojancha with water. It is also an excellent place for bird watching. The Montealto Foundation has opened a museum there and offers facilities for nature tourism and scientific research. A 6-km dirt road runs from Hojancha to this protected area.

NICOYA PENINSULA PROTECTION ZONE

This comprises seven units of forest located in the upper reaches of the mountains in the centre of the Peninsula. The blocks consist of disturbed primary forests, secondary forests and shrubs and fulfill the important function of protecting the drainage basins that supply Jicaral, Lepanto, Paquera and Cóbano with water. These forests host 'guaria morada' *(Guarianthe skinneri)*, the national flower. A few dirt tracks leading out from the abovementioned towns allow visitors to venture into the protected area.

HUMEDAL PALUSTRINO CORRAL DE PIEDRA

Es una laguna de agua dulce que por recibir agua salobre del río Tempisque presenta condiciones un tanto diferentes a otras lagunas de la región. Gran cantidad de aves acuáticas frecuentan este hábitat, entre las que se encuentran la garceta grande *(Egretta alba)*, la garceta nívea *(Egretta thula)* y el corocoro blanco *(Eudocimus albus)*. Navegar por el río Tempisque, en las cercanías de Puerto Humo y adentrarse por el caño que desagua la laguna constituye el mejor acceso a este humedal.

HUMEDAL RIVERINO ZAPANDÍ

Tiene como propósito proteger y restaurar las márgenes del río Tempisque, desde la confluencia con el río Ahogados hasta el límite del Parque Nacional Palo Verde. La mejor forma de observar las numerosas especies de aves acuáticas que se reproducen y alimentan en este manglar, incluyendo diversas especies de íbises, garzas y garcetas, es viajando en bote a lo largo del río.

HUMEDAL RÍO CAÑAS

Lo conforman las lagunas Estero Largo y Potrero Largo, de la cuenca del río Cañas, que constituyen un importantísimo lugar de alimentación y reproducción para una gran variedad de aves acuáticas, algunas de ellas con poblaciones reducidas. Un camino de tierra que parte de Coyolito, cerca de Santa Cruz, permite llegar hasta la orilla de este humedal.

HUMEDAL LAGUNA MADRIGAL

Este humedal, que está rodeado por la Hacienda Solimar, protege una importante colonia de nidificación de aves acuáticas, entre las que sobresalen por su abundancia los tántalos americanos o garzones *(Mycteria americana)*, las garcetas grandes o garzas reales *(Egretta alba)* y los corocoros blancos *(Eudocimus albus)*. Se encuentra también en esta laguna una importante población de cocodrilos *(Crocodylus acutus)*. Existe un camino lastrado hasta la Hacienda y luego se camina 2 km para llegar al borde de este humedal.

RESERVA NATURAL ABSOLUTA NICOLÁS WESSBERG

Cuenta con un bosque húmedo tropical secundario que contiene árboles como el pochote *(Bombacopsis quinata)*, el jobo *(Spondias mombin)* y el espavel *(Anacardium excelsum)*, y que sirve de hábitat para monos congo *(Alouatta palliata)*, venados *(Odocoileus virginianus)* y cauceles *(Leopardus wiedii)*. Se llega al borde de esta reserva caminando 2 km por la playa desde Montezuma. Esta área protegida está dedicada a la memoria del gran conservacionista Nicolás Wessberg, de origen sueco.

De izquierda a derecha, un bando de suiríris piquirrojos, especie muy común en los humedales de esta área de conservación; el vistoso momoto cejiazul, habitual en los bosques deciduos, y la bellísima orquídea denominada Vanda tricolor.

From left to right, a flock of black-bellied whistling ducks, a very common wetland species in this conservation area; the eye-catching turquoise-browed motmot, a regular inhabitant of deciduous forest; and the lovely orchid Vanda tricolor.

CORRAL DE PIEDRA PALUSTRINE WETLAND

This is a freshwater lagoon that presents rather different conditions to other lagoons in the region because brackish water from the Tempisque river flows into it. A large number of water birds frequent this habitat, e.g. great egret *(Egretta alba)*, snowy egret *(Egretta thula)* and white ibis *(Eudocimus albus)*. Travelling by boat along the River Tempisque near Puerto Humo and taking the channel that drains it is the best way of getting into this wetland.

ZAPANDÍ RIVERINE WETLAND

The aim here is to protect and restore the edges of the River Tempisque from the confluence with the River Ahogados to the border of Palo Verde National Park. The best way to observe the many species of water birds that breed and feed in the mangrove swamp, including several species of ibis, herons and egrets, is by boat along the river.

RÍO CAÑAS WETLAND

This consists of the Estero Largo and Potrero Largo lagoons in the basin of the River Cañas. They constitute a very important feeding and breeding site for a large variety of water birds, some with very small populations. A dirt road leaves Coyolito near Santa Cruz and leads to the wetland edge.

MADRIGAL LAGOON WETLAND

This wetland, surrounded by the Hacienda Solimar (estate), protects an important nesting colony of water birds among which wood stork *(Mycteria americana)*, great egret *(Egretta alba)* and white ibis *(Eudocimus albus)* stand out in terms of sheer numbers. In this lagoon there is also a large number of crocodiles *(Crocodylus acutus)*. A grit track leads to the Hacienda (ranch) and then it is two kilometers on foot to the edge of the wetland.

NICOLÁS WESSBERG STRICT NATURE RESERVE

It contains a moist tropical late secondary forest with trees such as spiny cedar *(Bombacopsis quinata)*, wild plum *(Spondias mombin)* and 'espavel' *(Anacardium excelsum)*, and serves as habitat for howler monkeys *(Alouatta palliata)*, white-tailed deer *(Odocoileus virginianus)* and margay *(Leopardus wiedii)*. The edge of the reserve can be reached by walking 2 km along the beach from Montezuma. This protected area is dedicated to the memory of the great conservationist Nicholas Wessberg, who was of Swedish origin.

RESERVA NATURAL ABSOLUTA DE CABO BLANCO

La creación de Cabo Blanco, una de las primeras áreas protegidas del país, fue promovida por Nicolás Wessberg y su esposa Karen Mogensen. Esta reserva tiene mucha importancia para la protección de las aves marinas y es una de las áreas de mayor belleza escénica de la costa del Pacífico. En sus bosques hay un mayor predominio de las especies siempreverdes, aunque mezcladas con especies caducifolias como el pochote (*Bombacopsis quinata*), el árbol más abundante, con ejemplares que alcanzan los 40 m de altura. Otras especies de árboles grandes, que se observan comúnmente a lo largo de los senderos, son el zapote mechudo (*Licania platypus*), el ceiba (*Ceiba pentandra*) –que alcanza hasta 60 m de altura–, el guácimo colorado (*Luehea seemannii*) y el camíbar (*Copaifera aromatica*), que no se encuentra en el resto de la península. Existen unas 150 especies de árboles en la reserva.

A pesar de sus reducidas dimensiones, su fauna es variada, aunque no muy abundante. Además de las ardillas (*Sciurus variegatoides*) que hay en cantidad, se observan guatusas (*Dasyprocta punctata*), venados (*Odocoileus virginianus*), cusucos (*Dasypus novemcinctus*), pizotes (*Nasua narica*) y monos congo (*Alouatta palliata*) y carablanca (*Cebus capucinus*). Las aves marinas son muy numerosas, particularmente los pelícanos alcatraces (*Pelecanus occidentalis*), los rabihorcados magníficos (*Fregata magnificens*),

las águilas pescadoras (*Pandion haliaetus*) y los piqueros pardos (*Sula leucogaster*). La colonia de esta última especie, con aproximadamente 500 parejas, es la más grande del país. A lo largo de la costa, dentro de la reserva, existen tres dormideros de pelícanos alcatraces a los que acuden cada atardecer no menos de 250 ejemplares. La población total de aves en Cabo Blanco es de unas 150 especies.

La isla de Cabo Blanco, situada a 1,6 km al sur de la costa, es un peñón rocoso de paredes verticales con vegetación graminoide rala, con algunos arbustos y con mucho guano, que constituye un refugio inexpugnable para las aves marinas. El extremo de Cabo Blanco está constituido por una extensa plataforma rocosa en la que existen infinidad de lagunillas de marea donde viven gran cantidad de pequeños organismos marinos. La porción marina alberga una fauna muy diversa; los cambutes (*Strombus galeatus*) y las langostas (*Panulirus* sp.) son abundantes. Cerca de la playa Colorada y del sendero El Sueco se han encontrado yacimientos arqueológicos prehispánicos.

Cabo Blanco se encuentra en el extremo sur de la península de Nicoya. En la reserva existen varios senderos que conducen a sitios de interés y hay un área para almorzar. A la Administración se llega desde Nicoya vía Paquera-Cóbano-Montezuma-Cabuya (152 km), por carretera en parte pavimentada y en parte lastrada.

La Reserva Nacional Absoluta de Cabo Blanco, un extraordinario refugio para las aves marinas, fue una de las primeras áreas protegidas en Costa Rica. Junto a estas líneas, atardecer en el litoral de la reserva y, a la derecha, la playa salvaje de Cabo Blanco.

Cabo Blanco Strict Nature Reserve, an excellent refuge for seabirds, was one of the first conservation areas in Costa Rica. Alongside, dusk on the reserve's coast and right, Cabo Blanco's wild beach.

CABO BLANCO STRICT NATURE RESERVE

The driving forces behind the creation of Cabo Blanco, one of Costa Rica's foremost protected areas, were Nicolás Wessberg and his wife Karen Mogensen. This reserve is very important for seabird protection and is one of the most scenically beautiful areas on the Pacific coast. Evergreen species predominate more in its forests although they are mixed with deciduous species such as the spiny cedar *(Bombacopsis quinata)*, the most abundant tree with specimens over 40 m high. Other species of large trees commonly seen along the paths are the 'sonzapote' *(Licania platypus)*, the silk cotton tree *(Ceiba pentandra)* which can grow as much as 60 m high, the cotonron *(Luehea seemannii)* and the 'camíbar' *(Copaifera aromatica)*, which is not found elsewhere on the Peninsula. There are 150 tree species in the reserve.

Although not very numerous, the fauna is quite varied. Apart from large numbers of tree squirrels *(Sciurus variegatoides)*, there are agoutis *(Dasyprocta punctata)*, white-tailed deer *(Odocoileus virginianus)*, common long-nosed armadillos *(Dasypus novemcinctus)*, white-nosed coatis *(Nasua narica)*, howler monkeys *(Alouatta palliata)* and white-faced capuchins *(Cebus capucinus)*.

There are a lot of seabirds, particularly brown pelicans *(Pelecanus occidentalis)*, magnificent frigatebirds *(Fregata magnificens)*, ospreys *(Pandion haliaetus)* and brown boobies *(Sula leucogaster)*. The colony of the latter species, with approximately 500 pairs, is the biggest in the country. Along the coast within the reserve there are three brown pelican roosts to which no less than 250 birds retire every evening. The total bird population in Cabo Blanco includes around 150 species.

Cabo Blanco Island, situated 1.6 km off the coast, is a mass of rock with vertical walls, scarce grassy vegetation, some bushes and a lot of guano – an unassailable refuge for seabirds. The Cabo Blanco end is made up of an extensive rocky platform with countless tidal pools where large numbers of tiny marine organisms live. The marine portion contains very diverse fauna: giant conches *(Strombus galeatus)* and lobsters *(Panulirus sp.)* occur in large numbers. Near Colorada Beach and the El Sueco trail pre-Hispanic archaeological remains have been found.

Cabo Blanco is at the southern end of the Nicoya Peninsula. In the reserve several trails lead to interesting sites and there is a picnic place. You can reach the office from Nicoya via Paquera-Cóbano-Montezuma-Cabuya (152 km), by a partly asphalted road.

CORDILLERA VOLCÁNICA CENTRAL

El cráter activo del volcán Poás, con su laguna termomineral, situado a más de 2.700 metros de altitud, y las densas y espectaculares selvas del Parque Nacional Braulio Carrillo, en las que crecen innumerables bromelias, constituyen dos de las más singulares áreas de conservación de la Cordillera Volcánica Central.

The active crater of Poás Volcano, with its thermomineral lagoon at an altitude of over 2,700 meters, and the thick spectacular forests of Braulio Carrillo National Park, where countless bromeliads grow, are two of the most outstanding conservation areas in the Cordillera Volcánica Central.

PARQUE NACIONAL
BRAULIO CARRILLO

PROCEDENTES DE DOS QUEBRADAS DIFERENTES, el río Sucio, de aguas turbias y amarillentas, y el río Hondura, cuyas aguas son claras y transparentes, se unen en el interior del parque nacional.

COMING FROM TWO DIFFERENT GORGES, the Sucio River, with its turbulent yellowish waters, and the Hondura River, whose waters are clear and transparent, merge in the interior of the national park.

ESTE PARQUE, QUE LLEVA EL NOMBRE del Benemérito de la Patria, Lic. Braulio Carrillo, tercer Jefe de Estado de Costa Rica, se encuentra enclavado en una de las zonas de topografía más abrupta del país. Casi todo el paisaje está constituido por altos complejos volcánicos, densamente cubiertos de bosques y surcados por numerosos ríos caudalosos que forman profundos cañones, a veces de paredes verticales. La topografía y la alta precipitación, de unos 4.500 mm anuales, dan lugar a la formación de infinidad de saltos de agua que se observan por todas partes.

BRAULIO CARRILLO NATIONAL PARK

LA MAYOR PARTE DE LA SUPERFICIE del área protegida se encuentra tapizada por un denso bosque primario siempreverde en el que abundan los musgos, los líquenes y las plantas epífitas que cubren los troncos de los árboles.

MOST OF THE PROTECTED AREA is carpeted in thick evergreen primary forest with lots of moss, lichen and epiphytic plants covering the tree trunks.

THIS PARK, WHICH IS NAMED AFTER THE DISTINGUISHED son of the motherland, Braulio Carrillo, Costa Rica's third Head of State, is situated in one of the most rugged zones in the country. Almost all the countryside consists of high groups of volcanoes, densely covered in forests and furrowed by numerous swift flowing rivers that form deep canyons with sometimes vertical walls. The topography and high precipitation of around 4,500 mm per year give rise everywhere to countless waterfalls. There are three volcanic edifices without any recorded activity in the park. The first is Barva at 2,906 m,

Arriba, un mar de densa vegetación cubre la abrupta topografía del área protegida. A la izquierda, una serpiente mano de piedra, la inconfundible candelita collareja, popularmente conocida como "amigo de hombre", y el sendero de Las Palmas en el interior del parque nacional.

Above, a cloak of thick vegetation covers the rugged terrain of this conservation area. Left, a 'mano de piedra' snake; the unmistakeable collared redstart, popularly known as 'amigo de hombre'; and the Las Palmas Trail in the national park interior.

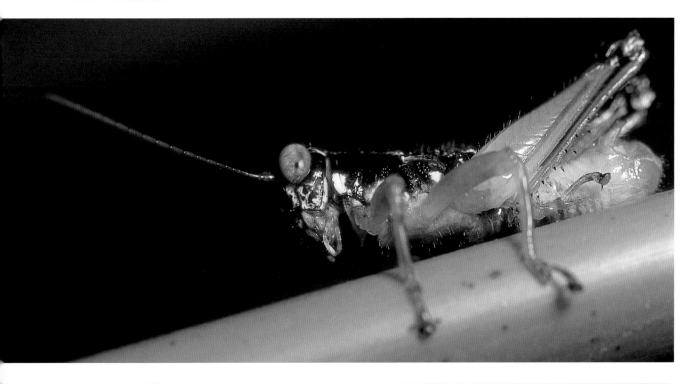

En el parque se encuentran tres edificios volcánicos sin registros históricos de actividad: el Barva, de 2.906 m, que es un escudo andesítico complejo con una docena de focos eruptivos en su cima, dos de los cuales se encuentran ocupados por la laguna del Barva, de unos 70 m de diámetro, y la laguna La Danta o Copey, de unos 50 m; el Cacho Negro, de 1.250 m, un estratovolcán de forma cónica que tiene dos conos parásitos y que se observa muy bien desde la carretera que cruza el parque, y el complejo de los cerros Zurquí, formado por un conjunto de antiguos conos muy empinados (como el Chompipe y el Turú), que se ven hacia el noroeste al entrar al parque desde San José.

La mayor parte de la superficie de esta área protegida está cubierta por un denso bosque primario siempreverde, en el que se estima existen unas 6.000 especies de plantas. Los bosques de mayor altura y riqueza florística se encuentran en las partes más bajas, frente a la llanura caribeña. En general son muy abundantes las heliconias o platanillas *(Heliconia* spp.), las palmas, las bromeliáceas y las sombrillas de pobre *(Gunnera insignis),* inconfundibles por el inmenso tamaño de sus hojas. Entre los árboles es común el cedro macho *(Carapa guianensis),* una especie maderable de gran importancia.

La fauna es abundante, en particular la avifauna, de la que se han observado 347 especies, entre las que se hallan el bellísimo

La fauna invertebrada del parque nacional está aún por descubrir, con la presencia de muchas especies desconocidas todavía para la ciencia. A la izquierda, un espectacular saltamontes y una llamativa araña.

The national park's invertebrate fauna park remains to be discovered, many species still being unknown to science. Left, a spectacular grasshopper and an eye-catching spider.

which is a complex andesitic shield with around twelve eruption points on the top, two of which are occupied by the 70 m diameter Barva lagoon and the 50 m La Danta or Copey lagoon. The second is the 2,250 m conical Cacho Negro hill – 1,250 m – a conical stratovolcano with two parasite cones and which can be seen very well from the road that runs across the park. Thirdly, there are the Zurquí, consisting of a group of very steep former cones (e.g. Chompipe and El Turú), which are visible to the northwest as one enters the park from San José.

Most of this protected area is covered in dense evergreen primary forest thought to contain 6,000 species of plants. The highest forests and the richest in plantlife are found in the lowest parts opposite the Caribbean plain. In general, there are lots of heliconias *(Heliconia spp.)* palms, bromeliads and poor man's umbrella *(Gunnera insignis),* with its unmistakeable enormous leaves. The most common trees include crabwood *(Carapa guienensis),* a very important timber species.

There is an abundance of wildlife, especially birds; 347 bird species have been recorded, including the extremely beautiful resplendent quetzal *(Pharomachrus mocinno),* the curious bare-necked umbrellabird *(Cephalopterus glabricollis),* which migrates altitudinally, the osprey *(Pandion haliaetus)* and the clay-coloured robin *(Turdus grayi),* which is the

Precipitaciones en torno a los 4.500 mm anuales y una topografía especialmente abrupta permiten la formación de infinidad de saltos de agua que vencen de manera espectacular los acusados desniveles del terreno en esta área protegida.

Annual precipitation of around 4,500 mm and specially rugged terrain give rise to countless waterfalls, which plunge down the spectacular sheer drops so common in this conservation area.

En medio de esta selva hostil, a veces prácticamente impenetrable, se encuentran lugares bellos y apacibles como el que muestra la fotografía inferior. A su derecha, detalle de la vegetación del sotobosque de este bosque primario siempreverde.

IN THE MIDST OF THIS HOSTILE and sometimes virtually impenetrable jungle there are delightful peaceful spots like the one in the photo below. Right, undergrowth in this evergreen primary forest.

quetzal *(Pharomachrus mocinno),* el extraño pájaro sombrilla cuellicalvo *(Cephalopterus glabricollis)* –que emigra altitudinalmente–, el águila pescadora *(Pandion haliaetus)* y el yigüirro *(Turdus grayi),* el ave nacional. Entre los mamíferos destaca la presencia de dantas *(Tapirus bairdii)* y tolomucos *(Eira barbara),* pero sobre todo de gran cantidad de especies de murciélagos. Las ranas y sapos son muy numerosos, especialmente en el área del Bajo de la Hondura; una especie endémica es el sapo *Bufo holdridgei,* común en las zonas del volcán Barva y de Bajos del Tigre.

Un rasgo histórico importante en este parque es la presencia de la calzada Braulio Carrillo, formada por piedras acomodadas, que sigue una ruta aproximadamente paralela a la actual carretera, y que constituyó la antigua vía de comunicación entre el Valle Central y la costa del Caribe.

El Parque Nacional Braulio Carrillo se encuentra en la Cordillera Central. La carretera San José-Puerto Limón lo cruza de noreste a suroeste; esta vía cuenta con excelentes miradores (no adecuadamente marcados) que permiten observar el bosque, los saltos de agua y los cañones de los ríos. La Administración se encuentra en el kilómetro 20 de la carretera, 500 m antes del túnel Zurquí. El acceso al volcán Barva se puede realizar desde Heredia, vía Barva-San José de la Montaña-Sacramento-Administración (23 km), por camino en parte pavimentado y en parte lastrado. En el parque existen varios senderos que conducen a sitios de interés y hay áreas para almorzar y salas de exhibición.

national bird. Other mammals include tapirs *(Tapirus bairdii)* and tayras *(Eira barbara).* Also, large number of bats live there. Frogs and toads are very numerous, especially in the Bajo de la Hondura area. The toad *(Bufo holdridgei)* is an endemic species common in the Barva Volcano and Bajos del Tigre areas.

One important historic feature in this park is the presence of the Braulio Carrillo road. It is an arrangement of stones that describe a route more or less parallel to the present road, and was the former communication route between the Central Valley and the Caribbean coast.

Braulio Carrillo National Park is located in the Central Volcanic Cordillera. The San José to Puerto Limón road crosses it

from northeast to southwest. This road offers excellent look out points (not adequately marked) that provide visitors with views of the forest, waterfalls and river canyons. The office is at Kilometre 20 along the highway, 500 metres before Zurquí Tunnel. You can reach Barva Volcano from Heredia via Barva-San José de la Montaña-Sacramento-office (23 km), along a partly asphalted road and part dirt road. Several trails in the park lead to interesting sites, and there are picnic places and exhibition rooms.

En estas abruptas montañas surcadas de barrancos se multiplican los cursos de agua. Desde torrentes (arriba) a ríos caudalosos, toda la geografía del parque destaca por la abundancia de agua.

In these rugged mountains furrowed by gorges there are numerous water courses. Ranging from torrents (above) to mighty rivers, they make the entire park outstanding for the abundance of water.

PARQUE NACIONAL VOLCÁN IRAZÚ

EL VOLCÁN IRAZÚ es el más alto de Costa Rica. La fotografía muestra los tres cráteres situados en la cima de este estratovolcán. A la derecha, detalle del cráter Principal y del cráter Diego de la Haya.

IRAZÚ VOLCANO is the highest in Costa Rica. The photo illustrates the three craters on the summit of this stratovolcano. Right, part of the Main crater and Diego de la Haya crater.

E L IRAZÚ O "SANTABÁRBARA MORTAL DE LA NATURALEZA", como ha sido llamado, es un escudo volcánico complejo de forma subcónica irregular, de 3.432 m de altura, lo que lo convierte en el más alto del país. Cuenta con una larga historia de erupciones y ciclos eruptivos; su actividad se ha caracterizado por la emisión de grandes nubes de vapor, cenizas y escorias, que ascienden de forma violenta, a menudo acompañadas por sacudidas sísmicas locales o regionales, por ruidos subterráneos o retumbos, que a veces se escuchan en el Valle Central, y por el lanzamiento de piedras, ocasionalmente incandescentes. El primer relato histórico de una erupción data de 1723-24; el último período eruptivo fuerte tuvo lugar entre 1963-65, con una erupción de tipo estromboliana-vulcaniana, cuyas trazas de cenizas y polvo volcánico llegaron hasta el mar Caribe y el océano Pacífico.

En la cima existen tres cráteres mayores. El Principal, activo, de forma casi circular, tiene un diámetro de 1.050 m y una profundidad de 250 a 300 m, presentando en su fondo una laguna no permanente de aguas de color verde-amarillento y de unos 230 m de diámetro y 14-20 m de profundidad. Otro cráter es el Diego de la Haya, inactivo, de forma circular, de 690 m de diámetro y 80 m de profundidad, que se encuentra taponado y en el que frecuentemente las lluvias forman en su fondo plano una pequeña laguna. Al sur de estos dos cráteres se observa una terraza volcánica llamada Playa Hermosa, y al este del Diego de la Haya se encuentra un cono piroclástico con un cráter destruido hacia el norte. En la actualidad se registran una media de cuatro seismos volcano-tectónicos por mes, y se observan solfataras en el fondo del cráter principal y en sus alrededores; existe tambien un extenso campo de fumarolas localizado al noroeste de dicho cráter, en un sitio denominado precisamente Las Fumarolas. Se cree que el Irazú podría entrar en actividad eruptiva fuerte en cualquier momento. Desde su cúspide, en días despejados es

IRAZÚ VOLCANO NATIONAL PARK

IRAZÚ OR 'NATURE'S POWDERKEG' as it has been called is an irregularly subconical complex volcanic shield. At 3,432 m high, it is the highest in the country and has a long history of eruptions and eruption cycles. They typically consist of powerful emissions of large clouds of steam, ashes and scoria, often accompanied by local or regional seismic tremors; by subterranean rumblings, which can sometimes be heard in the Central Valley; and by showers of rocks, which are occasionally incandescent. The first historic account of an eruption dates from 1723-24; the last period of strong activity took place between 1963 and 1965 with a Strombolian-vulcanian eruption, which ejected ash and volcanic dust that reached the Caribbean and Pacific Ocean.

There are three main craters on the top. El Principal is active and almost circular, 1,050 m in diameter and 250 to 300 m deep. At its base, there is a temporary lagoon containing greenish yellow water and measuring about 230 m across and 14-20 m deep. The inactive Diego de la Haya crater is circular, 690 m in diameter and 80 m deep. As it is closed, rainwater frequently collects in the flat bottom, forming a small lagoon. To the south of the two craters there is a volcanic ledge called Hermosa Beach, and to the east of Diego de la Haya a pyroclastic cone with a deteriorated crater in the north.

There are currently an average of four volcanic-tectonic quakes per month, and there are solfataras at the bottom of the main crater and its environs; there is also an extensive field of fumaroles in the north-west of the crater at a site known as

Abajo, VISTA AÉREA del cono del volcán Irazú. Junto a estas líneas, imponentes farallones en las faldas del volcán y, a la derecha, el cráter Principal, de forma circular, con su laguna de aguas de color verde-amarillentas.

Below, AERIAL VIEW of the cone of Irazú Volcano. Alongside, breathtaking cliffs on the slopes of the volcano, and right, greenish yellow water in the circular main crater.

LA FLORA QUE CRECE EN ESTE parque nacional, como la que nos muestra la fotografía, ha tenido que adaptarse no sólo a la altitud –superior a los tres mil metros–, sino también a la naturaleza de los terrenos volcánicos.

THE FLORA IN THIS national park, like that in the photograph, has had to adapt not only to the altitude – over three thousand meters –, but also to the volcanic terrain.

posible observar los dos océanos y la mayor parte del territorio costarricense.

La flora se ha visto fuertemente alterada a causa de las erupciones. La mayor parte del parque presenta una vegetación rala y achaparrada, formada principalmente por arrayanes *(Vaccinium consanguineum)*, un arbusto de porte pequeño y hojas coriáceas. En algunos pequeños parches de bosques primarios y secundarios los árboles más abundantes son el lengua de vaca *(Miconia* spp.), el roble negro *(Quercus costaricensis)*, el cacho de venado *(Oreopanax xalapensis)* y el azahar de monte *(Clusia odora-*

ta). La fauna del Irazú es muy pobre; los mamíferos más abundantes son el conejo de monte *(Sylvilagus brasiliensis)* y el coyote *(Canis latrans)*; se han observado también tigrillos *(Felis tigrina)*. Entre las aves son abundantes los colibríes y el junco paramero *(Junco vulcani)*.

El Parque Nacional Volcán Irazú se encuentra en la Cordillera Central. Una carretera asfaltada de 32 km que parte de Cartago permite llegar hasta la Administración y continuar prácticamente hasta el borde de los cráteres. Dentro del parque existen senderos, miradores y un área para almorzar.

Las Fumarolas, which it is thought could become violently active at any time. On clear days, the two oceans and most of Costa Rica are visible from the top of Irazú.

The flora has been greatly altered by eruptions. Most of the park presents stunted vegetation consisting mainly of 'arrayan' (Vaccinium consanguineum), a small bush with leathery leaves. In some small patches of primary and secondary forest the most abundant trees are miconia (Miconia sp.), black oak (Quercus costaricensis), growing stick (Oreopanax xalapensis) and mountain mangrove (Clusia odorata).

Irazú's fauna is very poor, the most frequent mammals being the eastern cottontail (Sylvilagus brasiliensis) and the coyote (Canis latrans). Little spotted cat (Felis tigrina) has also been seen. The birdlife includes many hummingbirds and volcano junco (Junco vulcani).

Irazú Volcano National Park is situated in the Central Volcanic Cordillera. An asphalted road covers the 32 km between Cartago and the office, almost to the edge of the craters.

In the park there are trails, lookout points and a picnic area.

En esta vista general de la cima del volcán Irazú, con sus tres cráteres principales sobresaliendo sobre un mar de nubes, se aprecian las huellas de la actividad volcánica no exenta de una serena belleza.

In this overall view of the summit of Irazú Volcano, with three main craters standing out above a sea of cloud, it is possible to make out the signs of volcanic activity, not devoid of a serene beauty.

PARQUE NACIONAL VOLCÁN POÁS

EL POÁS ES UN ESTRATOVOLCÁN andesítico-basáltico de 2.708 m de altura, que forma parte de la Cordillera Central. Posee una impresionante belleza escénica y es uno de los tres volcanes del continente accesibles por carretera pavimentada que llega hasta prácticamente el borde del cráter. Es el parque nacional más visitado de todo el sistema.

De forma subcónica irregular, presenta tres estructuras principales en su parte superior. La primera estructura, el cráter Principal, es una enorme hoya de 1,3 km de diámetro y 300 m de profundidad. En el fondo de este cráter se encuentra un domo con fumarolas muy activas con temperaturas que oscilan entre 92 y 1.000° C, y una laguna cratérica termomineral de color verde turquesa a gris, de unos 300 m de diámetro y 40 m de profundidad, con un pH de cero y una temperatura del agua que alcanzó 52° C en 2005. Se observan también algunas curiosidades naturales como los volcancitos de azufre. Cuando en ocasiones esta laguna se seca, como sucedió por última vez en 1999, se intensifica la emisión de azufre –que es también expelido por las fumarolas–

LA ARDILLA DEL POÁS, de color amarillento y con una poblada cola casi tan grande como su cuerpo, es uno de los mamíferos que se pueden observar más fácilmente a lo largo de los senderos de este parque nacional.

THE POÁS SQUIRREL, yellowish and with a bushy tail almost as big as its body, is one of the mammals that can be most easily spotted along the paths of this national park.

POÁS VOLCANO NATIONAL PARK

POÁS IS A 2,708-M-HIGH ANDESITIC-BASALTIC stratovolcano in the Cordillera Central. Imposingly beautiful, it is one of the three volcanoes on the continent accessible along a tarmaced road that almost reaches the crater edge. It is also the most visited national park in the network.

The upper part of this subconical volcano has three major structures. The main crater is an enormous hollow almost 1.3 km in diameter and 300 m deep. At the bottom of the crater is a dome with very active fumaroles, where temperatures range from 92° to 1,000° C. The thermomineral lake in the crater is a turquoise-green to grey shade and roughly 300 m in diameter and 40 m deep, with zero pH and a water temperature that reached 52° C in 2005.

Natural curiosities include minor sulpher volcanos. When the lake dries out, (last occurred in 1999), sulphur emissions increase. Seismic activity level currently stands at about 200 low frequency quakes per day.

The volcano experiences plumiforme eruptions similar to those of a geyser, but not regularly. They consist of

Vista general del complejo volcánico del volcán Poás con el cráter Principal en primer término en el que se aprecian las fumarolas que salen junto a su laguna.

Overall view of the series of volcanic landforms on Poás Volcano. In the main crater in the foreground the fumaroles that emerge alongside its lagoon are visible.

*EL BOSQUE NUBOSO, MUY HÚMEDO Y UMBROSO, que rodea
la laguna Botos alberga numerosas plantas (arriba),
muchas de ellas epifitas, de una rara belleza.
A la derecha, el cráter Principal rodeado de nubes.*

*THE VERY HUMID MOIST AND SHADY CLOUD forest
surrounding Botos Lagoon hosts numerous plants
(above), many of them epiphytes, of a rare beauty.
On the right, the main crater girded in cloud.*

el cual, al mezclarse con el agua de lluvia produce ácido sulfúrico, provocando las lluvias ácidas que dañan la vegetación y los cultivos de sus laderas. Actualmente la actividad sismovolcánica se mantiene en unos 200 seismos de baja frecuencia por día.

El volcán presenta sin periodicidad definida, erupciones plumiformes, semejantes a las de un géiser, que consisten en explosiones de columnas de aguas lodosas acompañadas de vapor, que se elevan desde unos cuantos metros hasta más de 100 m. Estas erupciones le han valido al Poás la fama de ser el géiser más grande del mundo. El 25 de enero de 1910, el Poás lanzó la mayor erupción histórica de lodo, gases, ceniza y bloques, que alcanzó una altura de unos 8.000 m. El último período eruptivo intenso, con emisión de grandes columnas de ceni-

zas, gases y fragmentos de roca, acompañadas de ruidos prolongados y fenómenos luminosos, tuvo lugar entre 1952 y 1956.

Al norte del cráter activo se localiza la segunda estructura, el cono von Frantzius, que constituye el más viejo centro eruptivo, hoy inactivo, de la cima del macizo. Al suroeste existe la tercera estructura, un cono denominado Botos, que está ocupado actualmente por una laguna fría de unos 400 m de diámetro y 14 m de profundidad, formado hace unos 8.300 años, que por su gran belleza escénica ha sido comparada con los lagos alpinos.

El parque presenta cuatro hábitats principales. Una zona alrededor del cráter desprovista de vegetación o con sólo algunas especies adaptadas como el helecho lengua *(Elaphoglossum lingua)*. El área de los arrayanes *(Pernettya coriacea y Vaccinium poasanum)* se encuentra ocupada por una vegetación enana que

El valle del Poás, con sus extensos pastizales para el ganado vacuno, destaca por su belleza. Al fondo se aprecia la silueta del volcán.

Poás Valley, with its extensive grazing land, is very beautiful. In the background is the outline of the volcano.

explosions of columns of muddy water, together with steam that rise from a few metres to over 100 kilometres in the air. The eruptions have made Poás famous as the biggest geyser in the world. On 25 January 1910, Poás threw up the greatest eruption of mud, gases, ash and rocks in its history – to a height of 8,000 m. The last intense period of eruptions, involving large columns of ash, gases and rocks along with noise and lights occurred between 1952 and 1956.

To the north of the active crater there is a second structure, the now-inactive Von Frantzius cone, the oldest eruption point on the top of the massif. To the south-west is the third structure, another cone known as Botos, currently occupied by a cold lake 400 m in diameter and 14 m deep,

*L*AS PAREDES DEL CRÁTER *del volcán (arriba) se presentan humeantes debido a la presencia de numerosas fumarolas que indican que la actividad volcánica no ha cesado. A la izquierda, una hembra del colibrí brillante coroniverde.*

*T*HE CRATER WALLS (ABOVE) *give off smoke from the many fumaroles, an indication that the volcano is still active. Left, a female green-crowned brilliant.*

(Brunellia costaricensis), alcanzan unos 20 m de altura y están totalmente cubiertos de musgos, hepáticas y otras plantas epifitas.

Aunque la fauna en general es escasa, la avifauna es abundante. Entre las 79 especies de aves presentes se pueden mencionar varias de colibríes y el quetzal (Pharomachrus mocinno), el ave más bella del continente. Un mamífero interesante aquí es la chiza de montaña (Syntheosciurus brochus), de color amarillento rojizo y cuya cola es tan larga como su cuerpo.

A la Administración de este parque se llega vía San José-Alajuela-Fraijanes-Poasito-Volcán (56 km), por carretera pavimentada. Este parque cuenta con un excelente centro para visitantes, con un área para almorzar y con varios senderos que conducen a sitios de interés geológico, natural y escénico.

Sobre estas líneas, una vista aérea de la zona de recepción y de acogida a los visitantes del parque nacional y, a la derecha, las gigantescas hojas nervadas de la sombrilla de pobre.

Above, an aerial view of the national park's reception and visitor areas, and, right, huge veined leaves of poor man's umbrella.

no sobrepasa los 3 m de altura. El bosque achaparrado se observa a lo largo del sendero entre el cráter Principal y la laguna Botos; es casi impenetrable y está formado por árboles muy retorcidos. El bosque nublado, muy húmedo y umbroso, rodea la laguna Botos y la parte de atrás del Potrero Grande; aquí la mayoría de los árboles, como el copey (Clusia odorata) y el cedrillo

which formed about 8,300 years ago. Thanks to its scenic beauty it has been compared to the Alpine lakes.

The park has four main habitats. One area around the crater is devoid of vegetation or has only a few adapted species , e.g. paddle fern *(Elaphoglossum lingua)*. The area of the 'arrayanes' *(Pernettya coriacea* and *Vaccinium poasanum)* is covered in dwarf vegetation no more than 3 m high. Stunted forest can be seen along the path between the main crater and Botos lagoon. Almost impenetrable, it is made up of very gnarled trees. Very moist and shady cloud forest surrounds Botos lagoon and the area behind Potrero Grande. Here, most of the trees grow up to around 20 m high and are completely covered in mosses, Hepaticae and other epiphytic plants, especially 'copey' *(Clusia odorata)* and 'cedrillo' *(Brunellia costaricensis)*.

Although wildlife is generally scarce, there is plenty of birdlife. The 79 species of birds include several hummingbirds and the quetzal *(Pharomachrus mocinno),* the loveliest bird in Latin America. There is also the intriguing yellowy-red mountain squirrel *(Syntheosciurus brochus),* with a tail as long as its body.

Access to the park office is via San José-Alajuela-Frai-janes-Poasito-Volcán (56 km) along an asphalted road. The park has an excellent visitor centre, with a picnic area and several trails leading to interesting geological, natural or scenic sites.

Al final del sendero de la laguna Botos se llega a un mirador desde el que se contempla el paisaje que muestra la fotografía. Este antiguo cono volcánico posee un diámetro de unos 400 metros y está rodeado por un denso bosque nuboso.

The path to Botos Lagoon leads to a lookout point that affords a view of the scenery in the photo. This former volcanic cone is 400 meters across and surrounded by thick cloud forest.

PARQUE NACIONAL VOLCÁN TURRIALBA

EN ESTA VISTA AÉREA se puede observar el sendero que conduce a la cima del volcán Turrialba, un estratovolcán que comparte la misma base que el Irazú y en la que aparece el cráter principal.

THIS AERIAL VIEW shows the path that leads to the summit of Turrialba Volcano, a stratovolcano that shares the same base as Irazú, and the main crater.

ESTE PARQUE COMPRENDE el edificio volcánico y la parte superior de sus muy empinadas faldas. El Turrialba es un estratovolcán complejo de 3.340 m de altura, que comparte la misma base que el cercano volcán Irazú, y que forma parte de la Cordillera Central. En la parte superior se presenta un cono con algunas protuberancias, constituido por tres cráteres bien definidos que presentan bocas intracratéricas, y por otros muy erosionados; el cráter principal tiene unos 50 m de profundidad. En los flancos se observan varias coladas de lava, que parecen ser recientes; una de ellas pasó cerca de la actual ciudad de Turrialba y llegó hasta el río Reventazón. La última erupción ocurrió en 1864-66.

En la actualidad el volcán presenta actividad solfatárica, con desprendimiento de gases sulfurosos y vapor de agua, y

Turrialba Volcano National Park

THIS PARK INCLUDES THE VOLCANIC EDIFICE and the upper part of its very steep sides. Turrialba is a 3,340-metre-high stratovolcano complex, which shares the same base as nearby Irazú Volcano. It is part of the Cordillera Central. On the upper part there is a cone with protuberances consisting of three well-defined craters with intracrater mouths, and others that are very eroded; the main crater is about 50 m deep.

There are several apparently recent lava flows on the flanks. One of them passes near the town of Turrialba as far as the Reventazón River. The last eruption took place in 1864-66; at present there is solfataric activity in the volcano, with suphurous gases and steam being given off, as well as sulphur precipitation; the solfataras are at 80-90° C. Although the vegetation has been highly altered to create

ÉSTA ES LA VISTA QUE SE CONTEMPLA, desde el volcán Irazú, del edificio del complejo estratovolcán Turrialba, cuyas empinadas laderas, en las que se observan antiguas coladas lávicas, alcanzan los 3.340 metros de altura.

THIS IS THE VIEW FROM Irazú Volcano of the complex stratovolcano Turrialba, whose steep slopes strewn with old lava flows are up to 3,340 metres high.

precipitación de azufre; la temperatura de las solfataras es de 80-90° C.

La vegetación ha sido muy alterada en el pasado para el establecimiento de repastos. Sin embargo, todavía existen algunos parches de la vegetación original –bosque nublado–, repastos con árboles y bosquetes secundarios. Algunos de los árboles más comunes son el jaúl *(Alnus acuminata)*, la salvia *(Buddleja nitida)* –con hojas encanecidas en el envés–, el tucuico *(Ardisia pleurobotrya)* y el arrayán blanco *(Weinmannia pinnata)*.

En las partes más altas se observan el arrayán venenoso *(Pernettya coriacea)* –cuyos frutos negros son venenosos–, el bambú batamba *(Chusquea subtessellata)*, el arrayán *(Vaccinium consaguineum)*, el arracachillo *(Myrrhidendron donnellsmithii)* –que puede tener varios tallos de hasta 4,5 m de alto–, y los helechos *Elaphoglossum latifolium*, *E. palmense* y *Polypodium moniliforme*. Algunas de las especies que se observan

dentro del cráter son la sombrilla de pobre *(Gunnera insignis)*, la valeriana *(Valeriana longifolia)*, que crece en los playones, y el *Gnaphalium lavandulaefolium* –que forma colonias de color gris. La fauna es muy escasa; a lo sumo se observan algunos mamíferos pequeños y unas pocas aves, tales como el trepatroncos coronipunteado *(Lepidocolaptes affinis)*, de color café oliváceo; el colibrí verdemar *(Colibri thalassinus)*, de bello color verde brillante y el colín cariclaro *(Dendrortyx leucophrys)*, de color café y con apariencia de gallina.

La vista en la cima de este volcán es espectacular. Desde ella es posible observar toda la zona atlántica, la ciudad de Turrialba, la Cordillera de Talamanca y partes del Valle Central y hasta de la Cordillera de Guanacaste. La carretera de acceso que se inicia en La Pastora de Santa Cruz, aunque lastrada es muy empinada en la parte superior, por lo que requiere el uso de vehículos todoterreno.

grazing land, there are still a few patches of original vegetation – cloud forest –, grazing land with trees and secondary woodland. Some of the most common trees are the alder *Alnus acuminata*, benth *(Buddleja nitida)* – with ageing leaves on the reverse side –, 'tucuico' *(Ardisia pleurobotrya)* and bastard briziletto *(Weinmannia pinnata)*. In the highest parts there is the dangerous 'arrayán' *(Pernettya coriacea)*, whose black fruits are poisonous; dwarf bamboo *(Chusquea subtessellata)*; 'arrayán' *(Vaccinium consaguineum)*; 'arracachillo' *(Myrrhidendron donnell-smithii)*, which may have several stalks growing up to 4.5 m high; and the ferns *Elaphoglossum latifolium, E. palmense* and *Polypodium moniliforme*. Visible within the crater are poor man's umbrella *(Gunnera insignis)*, 'valeriana' *(Valeriana longifolia)* growing on the extensive beaches, and *Gnaphalium lavandulaefolium*,

which forms grayish tracts. The scarce wildlife consists at most of a few small mammals and some birds, e.g. the spotted-crowned woodcreeper *(Lepidocolaptes affinis)*, which is olive-green and coffee-colored; the green violet-eared hummingbird *(Colibri thalassinus)*, a lovely shade of bright green; and the buffy-crowned wood-partridge *(Dendrortyx leucophrys)*, which is coffee-colored and hen-like in appearance.

The spectacular view from the summit of this volcano takes in the entire Atlantic area, the city of Turrialba, the Cordillera de Talamanca and parts of the Valle Central as far as the Cordillera de Guanacaste. Although the access road that starts in La Pastora de Santa Cruz is gritted, the upper part is very steep so four-wheeled drive vehicles are required.

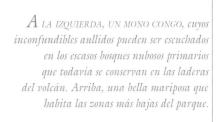

A LA IZQUIERDA, UN MONO CONGO, cuyos inconfundibles aullidos pueden ser escuchados en los escasos bosques nubosos primarios que todavía se conservan en las laderas del volcán. Arriba, una bella mariposa que habita las zonas más bajas del parque.

*L*EFT, A HOWLER MONKEY; *their unmistakeable calls ring out across the scarce primary cloud forest remaining on the slopes of the volcano. Above, a lovely butterfly that lives in the lowest parts of the park.*

81

MONUMENTO NACIONAL GUAYABO

Es el área arqueológica más importante y de mayor tamaño que se ha descubierto hasta ahora en el país. Guayabo forma parte de la región cultural denominada Intermontano Central y Vertiente Atlántica. Su ocupación parece remontarse al año 1000 a.C., aunque el mayor desarrollo del cacicazgo se produjo alrededor del 300 al 700 d.C., época en la que se construyeron las estructuras de piedra que se observan hoy en día; el abandono del sitio parece haberse producido hacia el año 1400 d.C. Guayabo tuvo una destacada posición política y religiosa y a su alrededor existieron aldeas que alojaron una población calculada en unas 1.500 a 2.000 personas. Se ha denominado como tribal-cacical el modo de vida de las sociedades de Guayabo, en las que el cacique centralizaba el poder político, aunque existió también la figura del chamán, el intermediario entre los humanos y los espíritus. La base económica de esta sociedad fue la agricultura, basada en un buen manejo del agua.

Las principales estructuras arquitectónicas, unas 50 descubiertas hasta la fecha, son las calzadas o pisos, las gradas o planos inclinados para superar los desniveles, los muros de contención, los puentes, los montículos utilizados como basamento para las viviendas, los acueductos abiertos y cerrados –muchos de ellos aún en servicio– y los tanques de captación para el almacenamiento del agua procedente de los acueductos. Los materiales usados fueron cantos rodados, lajas, tierra y follaje. Los objetos que más llaman la atención del visitante son los monolitos y los petroglifos; estos últimos se encuentran por todas partes y algunos poseen símbolos aún no descifrados. Objetos de oro, cerámica y otras piezas arqueológicas del lugar se exhiben en el Museo Nacional.

Los espacios cercanos al sitio arqueológico presentan una vegetación secundaria abierta, producto de una antigua extracción maderera. En el cañón del río Guayabo, próximo al área protegida, se encuentra una muestra de los bosques altos siempreverdes típicos de la región, con árboles como el tirrá *(Ulmus mexicana)* y el cerillo *(Symphonia globulifera)*. La fauna es pobre y escasa debido a la poca extensión del monumento; lo más visible son las aves, entre las que destacan por su abundancia los tucanes piquiverdes *(Ramphastos sulfuratus)* y las oropéndolas de Montezuma *(Psaracolius montezuma)*. Con frecuencia se observan también pizotes *(Nasua narica)* y cauceles *(Felis wiedii)*.

Este monumento nacional se encuentra ubicado en la falda sur del volcán Turrialba, a 19 km al norte de la ciudad del mismo nombre, por carretera en parte pavimentada y en parte lastrada;

GUAYABO ES EL ÁREA ARQUEOLÓGICA más importante de Costa Rica. Junto a estas líneas, gradas restauradas y, a la derecha, una vista general del yacimiento cuyas estructuras de piedra fueron construidas en el primer milenio de nuestra era.

GUAYABO IS THE MOST IMPORTANT archaeological area in Costa Rica. Alongside, a restored terrace, and, right, an overall view of the site, which has stone structures built in the first millennium AD.

Gᴜᴀʏᴀʙᴏ Nᴀᴛɪᴏɴᴀʟ Mᴏɴᴜᴍᴇɴᴛ

It is the most important and largest archaeological area so far discovered in Costa Rica. Guayabo is part of the cultural region known as the Central Intermontane and Atlantic Basin. It appears to have been occupied from the year 1000 B.C. although the local chiefdom underwent its greatest period of development around 300 to 700 A.D. when the stone structures that can be seen today were built. It appears to have been abandoned around the year 1400 A.D.

Guayabo held a prominent political and religious position, villages in the surrounding area having an estimated population of around 1,500 to 2,000 people. The way of life of Guayabo's societies has been dubbed tribal and 'cacique'-based, with political power centred on a 'cacique'. There was also a shaman, who acted as an intermediary between people and the spirit world. The economic base of society was agriculture centred around sound water management.

The fifty or so major architectural features discovered to date consist of roads, tiers or slopes to bridge uneven ground, retaining walls, bridges, mounds used as bases for dwellings, open and closed aqueducts, many of which still work, and catchment tanks for storing water from the aqueducts. Boulders, flagstones, earth and foliage were used as construction materials.

The objects that most attract visitors' attention are the monoliths and petroglyphs. The latter are everywhere, some having as yet undeciphered symbols. Gold and ceramic objects and other archaeological pieces from the site are on exhibition at the National Museum.

The areas near the archaeological site have open secondary vegetation, the product of a former wood extraction operation. In the Guayabo River Canyon near the protected area there is an example of the high evergreen forests typical of the region, with trees like the elm *(Ulmus mexicana)* and the manni *(Symphonia globulifera)*. There is little animal life because the area is so small. Birds are the most visible wildlife component. Amongst the ones that stand out for sheer numbers are the keel-billed toucan *(Ramphastos sulfuratus)* and Montezuma oropendola *(Psaracolius montezuma)*. White-nosed coatis *(Nasua narica)* and margay *(Felis wiedii)* are also frequently seen.

la Administración se ubica 50 m antes de la entrada. El monumento cuenta con senderos que conducen a sitios de interés arqueológico y natural, una sala de exhibiciones, un mirador y un área para almorzar.

RESERVA BIOLÓGICA ALBERTO MANUEL BRENES

También conocida como la Reserva Forestal de San Ramón, esta área protegida se localiza en la vertiente atlántica de la cordillera de Tilarán y su administración le corresponde a la Sede de Occidente de la Universidad de Costa Rica. La zona es montañosa, presenta pendientes fuertes, algunos ríos que la atraviesan han formado cañones profundos, y está constituida principalmente por coladas de basalto, lavas andesíticas, aglomerados y tobas y brechas autoclásticas. La vegetación, tipica de bosques nublados pluviales premontanos y montano bajos, es una mezcla de especies pertenecientes a zonas bajas y altas, y presenta, además de la vegetación arbórea, que alcanza hasta 40 m de alto, abundancia de palmas, helechos, begonias y orquídeas. Se puede visitar tomando un desvío de tierra que parte de la carretera San Ramón-Volcán Arenal.

REFUGIO NACIONAL DE VIDA SILVESTRE LA TIRIMBINA

Incluye el *Tirimbina Rainforest Center,* un centro de investigaciones que pertenece al Museo Público de Milwaukee. Es un área muy lluviosa, cubierta enteramente por un bosque pluvial primario, en el que algunos de los árboles dominantes son el espavel *(Anacardium excelsum)* y el ceiba *(Ceiba pentandra).* Una mariposa muy común es la morfo celeste *(Morpho* sp.). La avifauna es impresionante para una reserva de tan sólo 300 ha con la presencia de 285 especies. Este centro se encuentra al lado de la carretera Heredia-Puerto Viejo, cerca de la Estación Biológica La Selva.

REFUGIO NACIONAL DE VIDA SILVESTRE BOSQUE ALEGRE

Este refugio, localizado al norte del Parque Nacional Volcán Poás, en la Cordillera Central, está constituido por las lagunas Hule (55 ha), Congo (15 ha) y Bosque Alegre (0,6 ha), de gran belleza escénica, que ocupan el piso de una depresión volcánica formada hace unos 3.000-4.000 años por la erupción de un cráter de explosión. En los bosques primarios y secundarios que cubren buena parte de este refugio viven monos congo *(Alouatta palliata)* y carablanca *(Cebus capucinus).* En la

DE IZQUIERDA A DERECHA, una heliconia o platanilla, especie abundante en las reservas forestales de esta área de conservación; los brotes de un helecho, y una lechucita neotropical, una de las rapaces nocturnas más fáciles de ver en estas áreas protegidas.

FROM LEFT TO RIGHT, a heliconia, a common species in the forest reserves of this conservation area; fern shoots, and a tropical screech-owl, one of the easiest nocturnal birds to spot in these protected areas.

This National Monument is located on the lower slopes of Turrialba Volcano, 19 km north of the city of the same name along partly paved and partly grit roads. The office is 50 m in front of the park entrance.

The monument has trails to sites of archaeological and natural interest, an exhibition room, a viewing point and a picnic area.

ALBERTO MANUEL BRENES BIOLOGICAL RESERVE

Also known as the San Ramón Biological Reserve, this protected area is located on the Atlantic side of the Tilarán Cordillera and managing it is the responsibility of the Western H.Q. of the University of Costa Rica. The area is mountainous, with steep slopes. Some of the rivers flowing across it have formed deep canyons. It mainly consists of flows of basalt, andesitic lava, agglomerates and tufas, as well as autoclastic breccias. The plantlife is typical of premontane cloud forest and lower montane forests, a mixture of lowland and upland species. Besides arboreal vegetation up to 40 m high, there are many palms, ferns, begonias, heliconias, lianas, bromeliads,

mosses and orchids. There is a non-asphalted access road off the road from San Ramón to Volcán Arenal.

LA TIRIMBINA NATIONAL WILDLIFE REFUGE

This refuge contains the Tirimbina Rainforest Center, a research center belonging to the Public Museum of Milwaukee. It is a very wet area, entirely covered in primary rain forest; two of the major tree species are 'espavel' (*Anacardium excelsum*) and silk cotton tree (*Ceiba pentandra*). The blue morpho butterfly (*Morpho* sp.) is very common.

It can boast 285 known bird species, an amazing figure for such a small reserve of just 300 ha. The center is at the side of the Heredia-Puerto Viejo road near La Selva Biological Station.

BOSQUE ALEGRE NATIONAL WILDLIFE REFUGE

This refuge, to the north of Poás Volcano National Park, in the Cordillera Central consists of the scenic Congo (15 ha), Hule (55 ha) and Bosque Alegre (0.6 ha) lagoons in a volcanic

laguna Hule existen cinco especies de peces, incluyendo el guapote tigre *(Cichlasoma dovii)* y la mojarra *(Cichlasoma lyonsi).* Un camino de tierra que parte de la gasolinera de Cariblanco, carretera a Puerto Viejo, permite llegar hasta la laguna Hule.

RESERVA FORESTAL DE GRECIA

Se localiza al suroeste del Parque Poás y tiene una gran importancia para la protección de las cuencas hidrográficas que suministran agua para usos agropecuarios y urbanos a una extensa zona del Valle Central Occidental. El bosque primario, donde viven quetzales *(Pharomachrus mocinno),* cubre un 75% de toda el área con la presencia de robles *(Quercus* spp.), loritos *(Weinmannia pinata)* y quizarrás *(Ocotea* spp.). Dentro de esta reserva se localiza el Bosque de los Niños, de 40 ha, que consiste en una plantación de árboles que han sido sembrados por niños; esta área tiene gran importancia recreativa, posee una gran belleza escénica y es accesible desde Grecia por carretera, en su mayor parte asfaltada.

RESERVA FORESTAL CORDILLERA VOLCÁNICA CENTRAL

Los bosques húmedos de esta reserva son de extraordinaria importancia, no sólo por la protección que suministran al enorme sistema de cuencas hidrográficas que aquí existe, sino también porque forman un corredor biológico que comunica los parques nacionales Braulio Carrillo, Volcán Irazú y Volcán Turrialba. En algunas partes llueve hasta 7.000 mm anuales. Dos especies muy características de estos bosques son los helechos arborescentes *(Cyathea fulva)* y las sombrillas de pobre *(Gunnera insignis),* con hojas de enorme tamaño; se observa también

abundancia de musgos, orquídeas y bromelias. Algunos caminos de tierra que parten de Sacramento y Rancho Redondo permiten adentrarse un poco en la parte sur de esta reserva.

ZONA PROTECTORA RÍO TORO

Protege la mayor parte de la cuenca alta y media del río Toro, de particular importancia debido a la existencia de los proyectos hidroeléctricos Toro I y Toro II, que utilizan las aguas de este río. La mayor parte de esta zona protectora está cubierta de bosques húmedos –llueve hasta 4.000 mm al año–, en los que se encuentran especies de árboles como el cedro dulce *(Cedrela tonduzii),* el cipresillo *(Podocarpus* spp.) y el roble *(Quercus* spp.). La carretera lastrada que conduce hasta los proyectos hidroeléctricos permite observar el bosque de esta zona protectora, la cual está cubierta en un 80% por bosques primarios.

ZONA PROTECTORA EL CHAYOTE

Constituye un área muy lluviosa, de gran importancia hídrica por encontrarse aquí las nacientes de los ríos San Carlos, Barranca, Grande de Tárcoles y Toro –donde se ubican los proyectos hidroeléctricos Toro I y Toro II–, y de infinidad de otros ríos que suministran agua a siete cantones de las partes central y occidental del país. Sin embargo, conserva poco bosque, por lo que su restauración forestal es de gran urgencia. Algunas de las aves presentes son la urraca parda o piapia *(Cyanocorax morio)* y el solitario carinegro *(Myadestes melanops),* una especie endémica de Costa Rica y el oeste de Panamá. Algunos caminos de tierra que parten de Zarcero y de Naranjo permiten adentrarse un poco en esta zona protectora.

DE IZQUIERDA A DERECHA, un ejemplar adulto de perezoso de tres dedos; dos aspectos del interior de un bosque primario siempreverde, y la llamativa serpiente oropel que vive en los bosques de las reservas de la Cordillera Volcánica Central.

FROM LEFT TO RIGHT, an adult three-toed sloth; two aspects of the interior of an evergreen primary forest; and the eye-catching black spotted pit viper, found in the forests of reserves in the Cordillera Volcánica Central.

hollow created 3-4,000 years ago by the eruption of an explosion crater. The primary and secondary forests covering a sizeable part of this refuge are home to howler monkeys *(Alouatta palliata)* and white-faced capuchins *(Cebus capucinus)*. In Hule Lagoon there are five species of fish, including cichlids *(Cichlasoma dovii* and *Cichlasoma lyonsi)*. A dirt road goes from the Cariblanco gasoline station along the main road to Puerto Viejo as far as Hule Lagoon.

GRECIA FOREST RESERVE

Located to the southwest of Poás Park, it is very important for the protection of the drainage basins supplying water to agriculture and fisheries and for urban use over a broad area of the Central Western Valley. The primary forest, which hosts quetzals *(Pharomachrus mocinno)*, covers 75 % of the whole area; there are oaks *(Quercus* spp.), 'loritos' *(Weinmannia pinata)* and 'quizarras' *(Ocotea* spp.). The reserve contains the 40-hectare Bosque de los Niños consisting of a plantation of trees planted by children. It is very important as a recreational area, besides being very beautiful and accessible from Grecia along a mostly asphalted road.

CENTRAL VOLCANIC CORDILLERA FOREST RESERVE

The wet forests in this reserve are extremely important, not only for the protection they afford the enormous system of drainage basins here, but also because they form a biological corridor connecting Braulio Carrillo, Irazú Volcano and Turrialba Volcano national parks. In some parts it rains as much as 7,000 mm per year. Two very characteristic species in these forests are tree-fern

(Cyathea fulva) and poor man's umbrella *(Gunnera insignis)*, with its enormous leaves. There are also lots of mosses, orchids and bromeliads. A few dirt roads start from Sacramento and Rancho Redondo and go a little way into the southern part of the reserve.

RÍO TORO PROTECTION ZONE

It protects most of the upper and middle basin of the River Toro, which is of particular importance due to the existence of Toro I and Toro II hydroelectric projects, which use the waters of this river. Most of this protected zone is covered in wet forest (up to 4,000 mm annual rainfall) containing tree species such as sweet cedar *(Cedrela tonduzii)*, 'cipresillo' *(Podocarpus* spp.) and oak *(Quercus* spp.). The forest of this protected area can be seen from the road that leads to the hydroelectric projects. Eighty percent of the area is covered in primary forest.

EL CHAYOTE PROTECTION ZONE

This high rainfall area is important because it is here that the rivers San Carlos, Barranca, Grande de Tárcoles and Toro rise (it is the site of the Toro I and Toro II hydroelectric projects) and countless other rivers are found that supply water to seven districts in the central and western parts of the country. However, the fact that it has little forest left means forest restoration is a very urgent matter. Birdlife includes brown jay *(Cyanocorax morio)* and black-faced solitaire *(Myadestes melanops)*, a species endemic to Costa Rica and western Panama. Dirt roads from Zarcero and Naranjo enable visitors to travel further into this protected area.

ZONA PROTECTORA LA SELVA

Se localiza en las tierras bajas del noreste de la vertiente atlántica, en la confluencia de los ríos Sarapiquí y Puerto Viejo. Dentro de esta zona protectora existe una red de senderos que conducen a sitios de interés escénico, biológico y científico; uno de ellos se adentra en el Parque Nacional Braulio Carrillo y llega hasta el volcán Barva. La casi totalidad de esta área está constituida por la Estación Biológica La Selva, administrada por la Organización para Estudios Topicales (OTS), un consorcio de universidades de Estados Unidos y Costa Rica. Esta zona protectora está constituida por bosques primarios siempreverdes de gran diversidad florística, que reciben unos 4.000 mm de lluvia por año. La flora vascular está conformada por unas 2.000 especies, de las que más de 400 son árboles –el más abundante es el gavilán *(Pentaclethra macroloba)*. La fauna es también de gran riqueza; se han observado 411 especies de aves, 120 de mamíferos –los murciélagos son muy abundantes–, 123 de anfibios y reptiles, 43 de peces y unas 1.600 de insectos, entre ellos 479 son mariposas, muchas de ellas, como la morfo *(Morpho* sp.), de una gran belleza.

ZONA PROTECTORA RÍO GRANDE

Protege remanentes de bosques de las zonas de vida bosque húmedo tropical transición a premontano y bosque muy húmedo premontano. Estas florestas se encuentran sobre todo a lo largo de las orillas de varias quebradas, que son afluentes del río Grande; dos de estas quebradas forman cataratas de gran belleza escénica. El río Grande origina un profundo cañón al atravesar esta área. Algunos árboles aquí presentes son el guanacaste *(Entherolobium cyclocarpum)* –el árbol nacional– y el chaperno *(Lonchocarpus* spp.). Algunos caminos de tierra que parten de las carreteras que la rodean y que enlazan con Atenas, Palmares y Naranjo permiten adentrarse un poco en esta zona protectora.

ZONA PROTECTORA CERROS DE LA CARPINTERA

El bosque que cubre el cerro de La Carpintera, de 1.822 m de altura, es uno de los últimos remanentes de las zonas de vida bosque húmedo premontano y bosque muy húmedo premontano del Valle Central, con especies tipicas de estas zonas como el cedro dulce *(Cedrela tonduzii)*, el aguacatillo *(Nectandra salicifolia)* y el roble *(Quercus oocarpa)*. La fauna es en general muy escasa, aunque se han identificado más de 200 especies de aves, incluyendo el yigüirro *(Turdus grayi)*, el ave nacional. Desde la cima del cerro es posible apreciar una buena parte del Valle Central, por lo que su potencial recreativo para toda la población de la ciudad de San José y alrededores es muy alto. Aquí funciona un centro de capacitación de la Asociación de Guías y Scouts de Costa Rica. Algunos senderos que parten de Coris, Tres Ríos y Patarrá permiten recorrer una parte de esta zona protectora.

DE IZQUIERDA A DERECHA, tortugas de río, muy habituales en el humedal lacustrino Bonilla-Bonillita; raíces aéreas en el bosque primario siempreverde de La Selva, y la rana venenosa Dendrobates pumilio.

FROM LEFT TO RIGHT, river turtles, very common in Bonilla-Bonillita lacustrine airport; aerial roots in the evergreen primary forest of La Selva; and the poisonous frog Dendrobates pumilio.

La Selva Protection Zone

La Selva Protection Zone is located in the lowlands of the northeast of the Atlantic Basin, at the confluence of the rivers Sarapiquí and Puerto Viejo. Within this protected area there exists a network of paths leading to sites of scenic, biological and scientific interest. One of them goes into Braulio Carrillo National Park as far as the Barva Volcano. Almost the whole of this protected area is taken up by the La Selva Biological Station. The station is run by the Organization for Tropical Studies (OTS), a consortium of universities from the United States and Costa Rica. La Selva comprises evergreen primary forests with a great diversity of plants. Rainfall stands at around 4,000 mm per year. There are 2,000 species of vascular plants, of which over 400 are trees. The most common is the 'gavilan' *(Pentaclethra macroloba)*.

There is also a wealth of animal life, with over 411 bird species, 120 types of mammals (many bats), 123 amphibians and reptiles, 43 fish species, and about 1,600 kinds of insect, including 479 butterflies (many very beautiful, like the morphs).

Río Grande Protection Zone

It protects remnants of forests of the following life zones: tropical moist forest, premontane belt transition, and premontane wet forest. These forests are found, above all, along the banks of several streams, tributaries of the Río Grande. Two of the streams form very beautiful waterfalls. The Río Grande forms a deep canyon as it passes through this area. The trees found here include the guanacaste *(Entherolobium cyclocarpum)* – the national tree – and *Lonchocarpus* species. A few dirt roads branching off from the highways surrounding it and linking up with Atenas, Palmares and Naranjo go a little further into this protected area.

Cerros de La Carpintera Protection Zone

The forest covering 1,822-metre-high Cerros de La Carpintera is one of the last remnants of premontane moist forest and premontane wet forest life zones in the Central Valley, with species typical of these parts, e. g. 'cedro dulce' *(Cedrela tonduzii)*, 'aguacatillo' *(Nectandra salicifolia)* and oak *(Quercus oocarpa)*. Animal life is generally very scarce although over 200 species of birds have been recorded in the area, including the clay-coloured robin *(Turdus grayi)*, the national bird.

The view of a large part of the Central Valley from the top of the hill gives the areas great recreational potential for the population of San José City and surrounding area. A training centre belonging to the Association of Guides and Scouts of Costa Rica operates here. Some paths starting from Coris, Tres Ríos and Patarrá enable visitors to venture into part of this protected area.

ZONA PROTECTORA RÍO TIRIBÍ

Protege unos pocos remanentes de bosque de una parte pequeña de la cuenca media de este río, pertenecientes a la zona de vida bosque muy húmedo montano bajo. Las aguas del Tiribí se aprovechan para consumo humano, riego y generación hidroeléctrica, aunque tras su paso por San José el río se contamina. La zona es un complejo de bosques primarios intervenidos, plantaciones forestales y potreros arbolados. Las ardillas *(Sciurus* sp.) son aquí muy abundantes. Algunos caminos de tierra que parten de Dulce Nombre de Tres Ríos permiten adentrarse un poco en esta zona protectora.

ZONA PROTECTORA CERRO ATENAS

Protege algunos remanentes de vegetación de la zona de vida bosque húmedo premontano. El área es muy quebrada; los parches de bosque, donde crecen espaveles *(Anacardium excelsum)* y guapinoles *(Hymenaea courbaril)*, sólo se encuentran en las partes altas y en los bordes de las quebradas. Una vía lastrada, que parte de la carretera Atenas-Orotina, conduce hasta una torre instalada en la cima del cerro.

ZONA PROTECTORA CUENCA DEL RÍO TUIS

Es un área extremadamente lluviosa –hasta 5.000 mm por año–, bastante escarpada, que ha conservado hasta un 75% de sus bosques originales. Algunos de los árboles más comunes son los robles *(Quercus* spp.), las magnolias *(Magnolia sororum)* y los quizarrás *(Nectandra salicina);* en el sotobosque son abundantes los helechos arborescentes. Algunas especies de mamíferos aquí presentes son la danta *(Tapirus bairdii)*, el jaguar *(Panthera onca)* y la martilla *(Potos flavus)*. Algunos caminos de tierra que parten de la carretera Turrialba-Platanillo permiten adentrarse un poco en esta zona protectora.

De IZQUIERDA A DERECHA, un ejemplar de jaguar; el siempre llamativo tucán piquiverde, con sus poderosas mandíbulas especializadas en conseguir frutos silvestres, y una hembra de mono congo con su cría.

FROM LEFT TO RIGHT, a jaguar; the striking keel-billed toucan, which has a powerful beak to deal with wild fruits, and a female howler monkey with young.

RÍO TIRIBÍ PROTECTION ZONE

It protects a few forest remnants of a small part of the middle course of the River Tiribí. The forest belongs to the lower montane wet forest life zone. The waters of the Tiribí are used for drinking water, irrigation and generating hydroelectric power. As it passes through San José, the river becomes polluted. The area is a complex of disturbed primary forest, forestry plantations and 'potreros' with tree cover. There are large numbers of squirrels (*Sciurus* sp.) here.

A few dirt tracks from Dulce Nombre de Tres Ríos allow visitors to go a little way into this protected area.

CERRO ATENAS PROTECTION ZONE

It protects some remnants of vegetation of the premontane moist forest life zone. The area is very rugged. The forest patches containing 'espavel' (*Anacardium excelsum*) and 'guapinol' (*Hymenaea courbaril*) are only found in the upper reaches and at the edges of the creeks. A grit road from the Atenas-Orotina highway leads to a tower on top of the hill.

CUENCA DEL RÍO TUIS PROTECTION ZONE

This is an extremely wet area – up to 5,000 mm per year – and quite steep; it has conserved as much as 75% of the original forest. The most common trees include oaks (*Quercus* spp.), magnolias (*Magnolia sororum*) and 'quizarrás' (*Nectandra salicina*). The undergrowth contains large numbers of tree ferns.

Baird's tapir (*Tapirus bairdii*), jaguar (*Panthera onca*) and kinkajou (*Potos flavus*) live here. Some dirt roads branching off the Turrialba-Platanillo highway lead into this protected area.

tORTUGUERO

Los canales de Tortuguero, junto al mar Caribe (derecha), constituyen una de las áreas silvestres con una mayor diversidad biológica de Costa Rica. Abajo, la densa vegetación que cubre las orillas de los canales y una rana calzonuda sobre una bromelia.

The Tortuguero Channels, alongside the Caribbean Sea (right), are one of the wilderness areas with the greatest biological diversity in Costa Rica. Below, thick vegetation covering the banks of the channels and a gaudy leaf frog on a bromeliad.

PARQUE NACIONAL TORTUGUERO Y REFUGIO NACIONAL DE FAUNA SILVESTRE BARRA DEL COLORADO

ESTE AMPLIO HUMEDAL COSTERO –una llanura de inundación formada por una coalescencia de deltas– sobresale por su riqueza ornitológica, con la presencia de más de trescientas especies de aves. Abajo, una garceta nívea.

THIS BROAD COASTAL WETLAND – a floodplain formed through delta coalescence – has an outstanding wealth of birdlife, with over three hundred species of birds. Below, a snowy egret.

SE TRATA DEL ÁREA MÁS IMPORTANTE DE TODA LA MITAD occidental del Caribe para el desove de la tortuga verde *(Chelonia mydas)*, y es la principal razón por la que el gran naturalista norteamericano Archie Carr recomendó el establecimiento aquí de un parque nacional en 1969. En el año 2005, uno de los mejores para la anidación, se contaron 4.090 nidos dentro de la extensa playa del parque. Otras especies de tortugas marinas que también desovan en el parque y en el refugio son la baula *(Dermochelys coriacea)* y la carey *(Eretmochelys imbricata)*, y muy ocasionalmente, la tortuga caguama *(Caretta caretta)*.

Geomorfológicamente el parque y el refugio están constituidos por una amplia llanura de inundación formada por una coalescencia de deltas, que con sus cauces divagantes rellenaron parte de la antigua fosa de Nicaragua. Esta amplia llanura sólo se ve interrumpida por algunos cerros y conos de poca altura –como el cono Tortuguero, formado de piroclastos, y las lomas de Sierpe–, que contribuyeron a anclar los sedimentos traídos por los ríos desde los sistemas montañosos.

El parque y el refugio, incorporados a la Lista de Humedales de Importancia Internacional de Ramsar en 1996, son una de las zonas más lluviosas del país; registran entre 5.000 y 6.000 mm al año y se trata de una de las áreas silvestres de mayor diversidad biológica. Se han identificado hasta 11 hábitats. Los principales son la vegetación sobre la berma arenosa, constituida principalmente por frijol de playa *(Canavalia maritima)* y pudreoreja de playa *(Ipomoea pes-caprae)*; vegetación litoral, con la presencia de icacos *(Chrysobalanus icaco)*, papaturros *(Coccoloba uvifera)* y cocoteros *(Cocos nucifera)*; bosques de mediana altura localizados detrás de la playa, donde se observan guavas *(Inga edulis)* y cedros maría *(Calophyllum brasiliense)*; bosques altos muy húmedos y bosques sobre lomas, donde los árboles más abundantes son el gavilán *(Pentaclethra macroloba)*, el cedro macho o caobilla *(Carapa guianensis)* y el cativo *(Prioria copaifera)*; bosques pantanosos, con abundancia de pumpumjoches *(Pachira aquatica)*; yolillales, formados casi exclusivamente por la palma yolillo *(Raphia taedigera)*; pantanos herbáceos, consti-

Tortuguero National Park and Barra del Colorado National Wildlife Refuge

La abundancia de ardeidos es muy notable en esta zona húmeda incorporada a la Lista de Humedales de Importancia Internacional de Ramsar en 1996. Abajo, una garceta tricolor.

There are strikingly large numbers of herons and egrets in this wetland area, which was added to Ramsar's List of Wetlands of International Importance in 1996. Below, a tricolored heron.

I T IS THE MOST IMPORTANT LAYING SITE in the whole western half of the Caribbean for the green turtle *(Chelonia mydas)* and is the main reason why the great North American naturalist Archie Carr recommended that a national park be created here in 1969. In 2005, one of the best years for nesting, there were 4,090 nests on the extensive beach. Other species of sea turtles that also lay in the park and the refuge are leatherbacks *(Dermochelys coriacea)* and hawksbills *(Eretmochelys imbricata),* and, very occasionally, loggerhead turtles *(Caretta caretta).*

In geomorphological terms, the park and the refuge are made up of a wide floodplain formed where deltas merge. With their meandering channels they filled up part of the former Nicaragua Trench. This extensive plain is broken only by a few hills and low cones, such as Tortuguero cone, which consists of pyroclasts, and the Sierpe hillocks, which helped anchor the sediments brought by rivers from the mountain systems.

The park and refuge were included on the Ramsar List of Wetlands of International Importance in 1996 and are one of the wettest areas in the country, with between 5,000 and 6,000 mm of rain falling every year. It is also one of the wild areas with greatest biological diversity. As many as 11 habitats have been recorded. The main ones are: the vegetation on the sandy verge chiefly consisting of 'frijol de playa' *(Canavalia maritima)* and railroad vine *(Ipomoea pescaprae);* coastal vegetation, with 'icacos' *(Chrysobalanus icaco),* 'papaturros' *(Coccoloba uvifera)* and coconut palms *(Cocos nucifera);* mid-altitude forest behind the beach, with 'guavas' *(Inga edulis)* and 'cedros maría' *(Calophyllum brasiliense);* very moist high forests; lomas hill forests, where the most common tress include 'gavilán' *(Pentaclethra macroloba),* crabwood *(Carapa guianensis)* and 'cátivo' *(Prioria copaifera);*

LOS ANFIBIOS Y REPTILES TAMBIÉN están muy bien representados en este parque nacional. Arriba, la vistosa rana calzonuda y, a la derecha, una tortuga verde.

AMPHIBIANS AND REPTILES ARE ALSO well represented in this national park. Above, an eye-catching gaudy leaf frog, and, right, a green turtle.

tuidos por plantas herbáceas de hasta 2 m de altura, y comunidades herbáceas de vegetación flotante, en las que a veces la choreja *(Eichhornia crassipes)* es tan densa que impide la navegación. Hasta ahora se han identificado 642 especies de plantas dentro del parque.

La fauna es rica y diversa. Entre los mamíferos resultan particularmente abundantes los monos; una de las especies más interesantes es el murciélago pescador *(Noctilio leporinus)* –uno de los más grandes del país–, que se alimenta principalmente de peces. De las aves se conocen 309 especies; entre ellas se

EN LAS DIVISORIAS DE LOS CANALES de Tortuguero se han instalado algunas señalizaciones que indican el camino a seguir por los visitantes que se desplazan en barca por esta "Venecia del Caribe".

IN THE WATERSHEDS OF THE Tortuguero Channels, signposts have been placed indicating the route for visitors moving around by boat through this 'Venice of the Caribbean'.

swamp forest, with lots of the Guiana chestnut or money tree *(Pachira aquatica)*; stands of raffia palms *(Raphia taedigera)*; herbaceous swamps containing herbaceous plants up to 2 m high; and communities of floating herbaceous vegetation, in which sometimes the water hyacinth *(Eichhornia crassipes)* is so think it makes it impossible to use a boat. 642 plant species have so far been identified in the park.

The fauna is rich and diverse. Among the mammals, monkeys are particularly numerous. One of the most interesting species is the fishing bulldog bat *(Noctilio leporinus)*, one of the

LA MAYORÍA DE LOS CANALES de Tortuguero son navegables, aunque a veces la vegetación flotante de planta choreja, que se multiplica vertiginosamente, es tan densa que impide la navegación.

MOST OF THE TORTUGUERO CHANNELS are navigable although sometimes the floating vegetation of water hyacinth, which spreads at an incredible rate, is so thick that it makes them unnavigable.

*LAS PLAYAS DE TORTUGUERO (arriba) constituyen
el lugar más importante de toda la mitad
occidental del Caribe para el desove de la tortuga
verde. A ellas también acuden tortugas baulas
y careys. A la derecha, una garceta grande.*

*THE BEACHES OF TORTUGUERO (above) are the
most important in the entire western half of the
Caribbean for hauling out and laying by green
turtles. Leatherback and hawksbill turtles
also occur there. Right, a great white egret.*

encuentran la bulliciosa lapa verde o guacamayo ambiguo *(Ara ambigua)* amenazada de extinción, el caracara gorgirrojo *(Daptrius americanus)* –que come larvas, pupas y adultos de avispas– y el tucán piquiverde *(Ramphastos sulfuratus)*.

Se han observado 60 especies de anuros, incluyendo la rana transparente *(Centrolenella valerioi)* y la rana venenosa *(Dendrobates pumilio)*. En la playa es frecuente observar, además de las tortugas, cangrejos *(Ocypode quadrata)*, iguanas verdes *(Iguana iguana)* y erizos llamados dólares de arena *(Mellita* sp.). En el mar, frente a ambas áreas protegidas existen poblaciones importantes de macarelas *(Scomberomorus maculatus)*, róbalos *(Centropomus undecimalis)*, jureles *(Chloroscombrus chrysurus)* y camarones *(Penaeus brasiliensis)*, y se ha observado el inmenso tiburón ballena *(Rhincodon typus)*.

El sistema natural de canales y lagunas navegables de gran belleza escénica que cruza el parque de sureste a noroeste es el hábitat de 7 especies de tortugas terrestres. Allí viven también el

manatí o vaca marina *(Trichechus manatus)*, uno de los mamíferos más amenazados del país, y el escaso cocodrilo *(Crocodylus acutus)*. Entre los numerosos peces de agua dulce que existen aquí se encuentran el róbalo *(Centropomus undecimalis)* y el gaspar *(Atractosteus tropicus)* –un fósil viviente cuyo desove es un espectáculo extraordinario–, además del camarón de agua dulce *(Macrobrachium* sp.). Estas dos áreas protegidas se localizan en las llanuras de Tortuguero y limitan con la frontera con Nicaragua.

La Administración se ubica en el extremo norte del parque, en las vecindades del pueblo de Tortuguero, a 84 km de Limón vía canales de Tortuguero. Es accesible por avioneta desde San José o Limón, por los canales de Tortuguero desde Moín o por tierra desde Guápiles hasta Puerto Lindo con vehículo todoterreno, y luego por bote hasta Tortuguero (125 km). En el parque existen varios senderos que conducen a la playa y a otros sitios de interés, y hay áreas para almorzar.

biggest in the country. There are 309 known bird species, including the noisy great green macaw *(Ara ambigua)*, which is threatened with extinction, red-throated caracara *(Daptrius americanus)* – which eat larvae, pupae and adult wasps –, and the keel-billed toucan *(Ramphastos sulfuratus)*.

There are 60 species of frogs and toads, including the glass frog *(Centrolenella valerioi)* and the poison dart frog *(Dendrobates pumilio)*. On the beach you can often spot turtles, ghost crabs *(Ocypode quadrata)*, common iguanas *(Iguana iguana)* and sand dollars *(Mellita* sp.*)*. In the sea, off both protected areas, there are large populations of mackerel *(Scomberomorus maculatus)*, common snook *(Centropomus undecimalis)*, Atlantic bumper *(Chloroscombrus chrysurus)* and shrimps *(Penaeus brasiliensis)*, as well as the immense whale shark *(Rhincodon typus)*.

The natural network of lovely channels and navigable lagoons that cross the park from southeast to northwest are the habitat of 7 turtle species. It is also the home of the threatened West Indian manatee or seacow *(Trichechus manatus)*, one of the most threatened mammals in the country, and the rare crododile *(Crocodylus acutus)*. Among the many freshwater fish found there are the Caribbean snook *(Centropomus undecimalis)*, gar *(Atractosteus tropicus)*, a living fossil whose laying habits offer an extraordinary spectacle, and the freshwater shrimp *(Macrobrachium* sp.*)*. These two protected areas are situated on the Tortuguero Plains and are on the border with Nicaragua.

The offices are at the northern end of the park near the town of Tortuguero, 84 km from Limón via the Tortuguero channels. It is accessible by light aircraft from San José or Limón, via the Tortuguero channels from Moín, or by land from Guápiles as far as Puerto Lindo with a four-wheel drive vehicle and then by boat to Tortuguero (125 km).

Arriba, una vista general del Refugio Nacional de Vida Silvestre Barra del Colorado que forma una unidad con el Parque Nacional Tortuguero. A la izquierda, cormoranes y charranes en uno de los canales.

Above, a general view of Barra del Colorado National Wildlife Refuge, which forms a unit with Tortuguero National Park. On the left, cormorants and terns in one of the channels.

REFUGIO NACIONAL DE VIDA SILVESTRE ARCHIE CARR

Este refugio, contiguo al Parque Nacional Tortuguero, es también un sitio de importancia para el desove de las tres especies de tortugas marinas que nidifican en el parque. En este corredor biológico se encuentra la estación de la *Caribbean Conservation Corporation* (CCC), organización científico-conservacionista creada por el Dr. Archie Carr en 1955. Esta estación cuenta con laboratorio, sala de reuniones, lavabos y dormitorios. Para obtener información sobre las actividades de la CCC se debe llamar al tel.: (506) 297-5510.

ZONA PROTECTORA TORTUGUERO

Constituye la franja que conecta el Parque Tortuguero y el Refugio Archie Carr con el Refugio de Vida Silvestre Barra del Colorado. Está conformada en su mayor parte por yolillales, asociaciones sobre suelos inundados en las cuales la palma yolillo *(Raphia taedigera)* es dominante; y por bosques húmedos muy lluviosos en los que predominan especies como el cedro macho *(Carapa guianensis)* y el fruta dorada *(Virola koschnyi)*. Forma parte, junto con las otras áreas protegidas de la zona, del Proyecto SI-A-PAZ Costa Rica-Nicaragua, que es parte del Corredor Biológico Mesoamericano. Se puede recorrer siguiendo los ríos que desembocan en los canales de Tortuguero.

ZONAS PROTECTORAS
ACUÍFEROS DE GUÁCIMO Y POCOCÍ

Se crearon con la finalidad de proteger las áreas de recarga de los acuíferos que abastecen los acueductos de los cantones de Guácimo y Guápiles. Los terrenos de ambos acuíferos son accidentados; el suelo, de origen volcánico, es muy rocoso y sobre éste crece un bosque en su mayoría primario, muy húmedo y de mediana altura. Algunos caminos de tierra que parten desde ambas poblaciones permiten adentrarse un poco en ambos acuíferos.

DE IZQUIERDA A DERECHA, jacana centroamericana caminando sobre la vegetación acuática; ardeidos y charranes descansando sobre troncos flotantes; un basilisco, también conocido como lagartija de Jesucristo, y la abundante anhinga americana.

FROM LEFT TO RIGHT, a Central American jacana walking on aquatic vegetation; egrets and terns resting on floating tree trunks; a basilisk lizard, also known as Jesus Christ lizard, and the common American anhinga.

ARCHIE CARR NATIONAL WILDLIFE REFUGE

It is also an important laying site for the three sea turtle species that nest in Tortuguero National Park. The Caribbean Conservation Corporation (CCC), a scientific conservation organization set up by Dr. Archie Carr in 1955, is located in this biological corridor. This station has a laboratory, meeting room, toilets and bedrooms.

TORTUGUERO PROTECTION ZONE

This is the strip of land that links Tortuguero Park and the Archie Carr Refuge with Barra del Colorado Wildlife Refuge. It mostly consists of stands of vegetation on flooded soils in which the raffia palm *(Raphia taedigera)* is predominant. Also present are very moist forests where species like crabwood *(Carapa guianensis)* and banak *(Virola koschnyi)* predominate. Together with the other protected areas in the zone, it is part of the Costa Rica-Nicaragua SI-A-PAZ Project, part of the Mesoamerican Biological Corridor. It can be crossed by following the rivers that discharge into the Tortuguero Channels.

GUÁCIMO AND POCOCÍ AQUIFERS PROTECTION ZONES

This conservation area was created with the aim of protecting the recharge areas of the aquifers that supply the aqueducts of Guácimo and Guápiles counties. The terrain associated with both aquifers is rugged; the volcanic soil is very rocky and supports a mainly primary very moist mid-altitude forest. A few dirt tracks out of both towns take visitors a little way into both aquifer areas.

La Amistad-Caribe

Panorámica del Refugio Nacional de Vida Silvestre Gandoca-Manzanillo (arriba) situado en la costa caribeña. Abajo, un reptil del género *Anolis,* un bosque mixto no inundado, y un lirio blanco, todos en el Parque Nacional Cahuita.

Sweeping view of Gandoca-Manzanillo National Wildlife Refuge (above) on the Caribbean coast. Below, a reptile of the genus *Anolis,* non-flooded mixed forest, and a lily, all in Cahuita National Park.

PARQUE NACIONAL CAHUITA

CAHUITA ES UNA DE LAS ÁREAS MÁS BELLAS DEL PAÍS. El principal atractivo lo constituyen sus playas de arena blancuzca, sus miles de cocoteros, su tranquilo mar de color claro y su arrecife de coral. Este arrecife, que se asienta sobre una gran plataforma, se extiende en forma de abanico frente a Punta Cahuita, entre el río Perezoso y Puerto Vargas, y es el único bien desarrollado en la costa caribeña de Costa Rica. Es de tipo marginal, presenta una cresta externa y una especie de laguna interna, y está formado por el ripio de coral viejo, arena al descubierto, parches de coral vivo y praderas submarinas donde crecen el pasto de tortuga *(Thalassia testudinum)* y el alga sargazo *(Sargassum* spp.).

Los corales más abundantes del arrecife son los cuernos de alce *(Acropora palmata)* y los cerebriformes *(Diploria strigosa* y

ARRIBA, VISTA AÉREA del arrecife de coral del Parque Nacional Cahuita y de su litoral costero. A la derecha, un coral del género Agaricia *y un pez ángel reina.*

ABOVE, AERIAL VIEW of the coral reef in Cahuita National Park and its coastline. On the right, coral of the genus Agaricia *and a queen angel fish.*

CAHUITA NATIONAL PARK

CAHUITA IS ONE OF THE MOST BEAUTIFUL PLACES in the country. The main attractions are its white sand beaches, miles of coconut trees, calm clear sea and coral reef. This coral reef, which is on a large platform, extends in a fan shape off Cahuita Point between the River Perezoso and Puerto Vargas and is the only well developed one on Costa Rica's Caribbean coastline. It is of the marginal type with an outer crest and an internal lagoon, and is made up of the residue of old coral, exposed sand, patches of living coral and underwater meadows of turtle grass *(Thalassia testudinum)* and *Sargassum* spp. species.

The most abundant corals in the reef are elkhorn *(Acropora palmata)* and brain coral *(Diploria strigosa* and *Colcophyllia*

SOBRE ESTAS LÍNEAS, la belleza de los fondos arrecifales y, a la izquierda, una vista aérea de las interminables playas del parque nacional.

ABOVE, THE BEAUTY OF the coral shallows and, on the left, an aerial view of the endless stretches of beach in the national park.

En las playas de este parque nacional la sombra de los árboles llega hasta el mismo borde del mar. A la derecha, un bando de navajones azules, peces bastante comunes en el arrecife.

On the beaches of this national park the shade from the trees reaches right down to the seashore. Right, a group of blue tang surgeon fish, fairly common along the reef.

del terremoto de Limón, del 22 de abril de 1991, que levantó la línea de costa unos 30 cm y dejó expuesta la parte superior de la cresta arrecifal.

En la Playa Negra, al sur de Puerto Vargas, nidifican las cuatro especies de tortugas marinas que desovan en el Caribe costarricense: la baula (*Dermochelys coriacea*), la verde (*Chelonia mydas*), la caguama (*Caretta caretta*) y la carey (*Eretmochelys imbricata*). De esta última especie, en 2002 se censaron 105 nidos, lo que indica que este parque es el área de desove más importante en todo el Caribe para esta especie tan amenazada de extinción.

Punta Cahuita en su mayor parte está ocupada por un pantano situado en la depresión existente entre la plataforma de coral y la tierra firme. Los principales hábitats son el bosque mixto no inundado, con predominio de árboles de cativo (*Prioria copaifera*) y sangregao (*Pterocarpus officinalis*), con su

Colcophyllia natans). También son muy abundantes los erizos, los hidrozoarios y los abanicos de mar (*Gorgonia flabellum*). Hasta ahora se han identificado en el arrecife 35 especies de corales, 140 de moluscos, 44 de crustáceos, 128 de algas, 3 de fanerógamas halófitas y 123 de peces. Algunos de estos últimos, como el pez ángel reina (*Holacanthus ciliaris*) y el isabelita (*Holacanthus tricolor*) tienen un colorido espectacular. El arrecife de Cahuita se encuentra bastante deteriorado debido al efecto de los sedimentos procedentes del río La Estrella y

natans). There are also large numbers of sea urchins, hydrozoaria and sea fans *(Gorgonia flabellum).* To date, 35 species of coral, 140 types of mollusks, 44 crustaceans, 128 algae, 3 halophytic phanerogams and 123 fish species have been recorded for the reef. The queen angel fish *(Holacanthus ciliaris)* and rock beauty angelfish *(Holacanthus tricolor)* are spectacularly colourful.

Cahuita reef is in rather a bad state due to sediments from the River Estrella and the Limón earthquake of 22 April 1991, which raised the coastline about 30 cm and left the upper part of the reef ridge exposed.

Playa Negra, south of Puerto Vargas, is a laying site for the four species of marine turtles that nest in the Caribbean part of Costa Rica: Atlantic leatherback *(Dermochelys coriacea),* green *(Chelonia mydas),* loggerhead *(Caretta caretta)* and hawksbill *(Eretmochelys imbricata).* In 2002, 105 hawksbill nests were counted, indicating that this park is the most important laying site in the whole of the Caribbean for this threatened species.

Most of Punta Cahuita is a swamp in a depression between the coral platform and the mainland. The major habitats are non-flooded mixed woodland with mainly 'cátivo' *(Prioria copaifera)* and 'sangregao' *(Pterocarpus officinalis),* with its characteristic red sap; mangrove swamp, with a predominance of red mangrove *(Rhizophora mangle);* 'yolillar', mainly consisting of raffia palm *(Raphia taedigera);* and coastal vegetation with lots of coconut palms *(Cocos nucifera)* and sea grapes *(Coccoloba uvifera).*

Among the most common mammals are howler monkeys *(Alouatta palliata),* whose calls can be heard up to 16 km away; crab-eating raccoon *(Procyon cancrivorus)* and white-nosed coatis *(Nasua narica).* In the swamp there are usually

Abajo, un grupo de vistosas actinias asentadas sobre los corales, y el litoral de Cahuita en la desembocadura del río Suárez, densamente forestado.

Below, a group of eye-catching beadlet anemones on coral, and the thickly forested Cahuita coastline at the mouth of the River Suárez.

característica savia de color rojo; el manglar, con predominio del mangle colorado *(Rhizophora mangle)*; el yolillal, con predominio de la palma yolillo *(Raphia taedigera)*; y la vegetación litoral, con abundancia de cocoteros *(Cocos nucifera)* y papaturros *(Coccoloba uvifera)*.

Entre los mamíferos más comunes se encuentran los monos congo *(Alouatta palliata)* –cuyos aullidos pueden escucharse hasta una distancia de 16 km–, los mapachines cangrejeros *(Procyon cancrivorus)* y los pizotes *(Nasua narica)*. En el pantano es habitual la presencia del ibis verde *(Mesembrinibis cayennensis)*, del martinete coronado *(Nyctanassa violacea)* y del martinete cucharón *(Cochlearius cochlearius)*, al que se observa en colonias de 50 o más individuos. Los restos de un barco para el comercio de esclavos que naufragó en la segunda mitad del siglo XVIII, situado al norte de la desembocadura del río Perezoso, constituye el recurso cultural más importante del parque.

Cahuita se localiza al sur de Puerto Limón, sobre la costa del Caribe. La Administración se encuentra en el pueblo de Cahuita. Un sendero por la playa comunica la Administración con Puerto Vargas; en esta última área existen sitios para acampar.

Encaramado sobre un almendro de playa, este perezoso de dos dedos pasa la mayor parte de su vida colgado en las ramas de los árboles. Habitualmente come durante la noche y descansa durante las horas del día.

Nestling in a beachside almond tree, this two-toed sloth spends most of its life hanging from tree branches. It usually feeds at night and rests in the daytime.

green ibises *(Mesembrinibis cayennensis)*, yellow-crowned nightherons *(Nyctanassa violacea)* and boat-billed herons *(Cochlearius cochlearius)*, found in colonies of 50 or more. The remains of a slave trade boat that was shipwrecked in the second half of the eighteenth century, north of the mouth of the River Perezoso, is the park's most important cultural resource.

Cahuita is south of Puerto Limón on the Caribbean coast. The offices are in the town of Cahuita. A path along the beach links the offices with Puerto Vargas, where there are camping sites.

AL PARQUE NACIONAL SE PUEDE ACCEDER a través de Cahuita o a través de Puerto Vargas. Un sendero por el borde de su larga playa comunica ambos lugares. Arriba, un zopilote negro sobre un cocotero.

THE NATIONAL PARK CAN BE ACCESSED via Cahuita or Puerto Vargas. A path along the edge of the long beach links both sites. Above, a black vulture on a coconut tree.

REFUGIO NACIONAL DE VIDA SILVESTRE GANDOCA-MANZANILLO

Constituye una de las áreas de mayor belleza escénica del país. Este refugio está dividido en dos secciones separadas por una angosta franja de costa, Manzanillo al norte y Gandoca al sureste. La costa del refugio está formada por varias puntas arrecifales emergidas, entre las que se desarrollan bellas playas de arenas blancuzcas, de suave pendiente y poco oleaje debido a la escasa profundidad litoral, bordeadas por infinidad de cocoteros *(Cocos nucifera)*. Es el área más importante para el desove de la tortuga baula *(Dermochelys coriacea)* en el Caribe sur de Costa Rica. En 2002 se censaron 628 nidos de esta especie. Otras especies de tortugas que anidan aquí son la carey *(Eretmochelys imbricata)* y la verde *(Chelonia mydas)*. Frente a las puntas del refugio existen arrecifes de coral que se extienden hasta 200 metros mar adentro, y en sus aguas cercanas se pueden observar delfines, peces de arrecife, langostas, pulpos, esponjas, erizos, estrellas de mar, anémonas, abanicos de mar y pepinos de mar.

Una buena parte del refugio, que es llana o formada por pequeñas colinas, está tapizada por bosques, mientras que el resto aparece cubierto por pastizales y cultivos. En estos bosques la especie dominante es el cativo *(Prioria copaifera)*. Otros ecosistemas existentes son los bosques anegados, los pantanos herbáceos y los humedales. Los humedales de Punta Mona y Gandoca están constituidos básicamente por la palma yolillo *(Raphia taedigera)* y el árbol orey *(Campnosperma panamensis)*. En el manglar de Gandoca existen cinco especies de mangle y el único banco de ostiones *(Crassostrea rhizophorae)* del Caribe. El refugio, que posee una variada avifauna –unas 357 especies–, protege diversas especies de animales que están en vías de extinción en Costa Rica, como la danta *(Tapirus bairdii)*, el cocodrilo *(Crocodylus acutus)*, el manatí *(Trichechus manatus)* –que habita en la Laguna de Gandoca– y la lapa verde o guacamayo ambiguo *(Ara ambigua)*. El refugio, que fue incorporado a la Lista de Humedales de Importancia Internacional de Ramsar, cuenta con carreteras que parten de Limón, en parte asfaltadas y en parte lastradas, que conducen hasta las poblaciones de Manzanillo y Gandoca, en su mayoría de cultura afrocaribeña, de las que arrancan senderos que permiten visitar sus dos secciones.

REFUGIO NACIONAL DE VIDA SILVESTRE LIMONCITO

Tiene un gran potencial recreativo por localizarse 2 km al sur de la ciudad de Limón. Está cubierto por yolillales, formados principalmente por la palma yolillo *(Raphia taedigera)*; por bosques anegados, donde abundan las palmas y el cativo *(Prioria copaifera)*, y por un pequeño manglar. Una especie muy común aquí es el mono congo *(Alouatta palliata)*. La playa, aunque posee un gran oleaje, es de gran belleza por la abundancia de cocoteros *(Cocos nucifera)*. La carretera entre Limón y La Bomba atraviesa este refugio.

RESERVA FORESTAL RÍO PACUARE

Forma parte de la cuenca media del río Pacuare. Es un área muy lluviosa –hasta 4.000 mm por año–, donde se ha logrado conservar buena parte de la floresta original. La vegetación está constituida por bosques muy húmedos, tanto de tierras bajas como de tierras intermedias, en los que algunos de los árboles más altos son el espavel *(Anacardium excelsum)* y el surá *(Terminalia oblonga)*. Los felinos son muy comunes en esta zona. Varios de los caminos de tierra que parten de la carretera Turrialba-Siquirres permiten observar el bosque y llegar hasta el cauce del Pacuare.

*D*E IZQUIERDA A DERECHA, *una de las playas del Refugio Nacional de Vida Silvestre Gandoca-Manzanillo; estrella de mar en el arrecife de coral; el pez* Priacanthus cruentatus, *y un ejemplar de basilisco.*

*F*ROM LEFT TO RIGHT, *one of the beaches in Gandoca-Manzanillo National Wildlife Refuge; sea star on the coral reef; the fish* Priacanthus cruentatus, *and a basilisk.*

GANDOCA-MANZANILLO NATIONAL WILDLIFE REFUGE

This is one of the most beautiful areas of the country. This refuge is divided into two sections separated by a narrow strip of coast, Manzanillo to the north and Gandoca to the south-east. The refuge's coast consists of several emerged coral reef points with gently sloping lovely white sand beaches and few waves due to the shallowness on the coast, which is bordered by countless coconut palms *(Cocos nucifera)* and coral reefs. It is the most important laying site for leatherback turtles *(Dermochelys coriacea)* in the southern Caribbean part of Costa Rica, with 628 nests of this species recorded in 2002. Other species of turtles nesting here are the hawksbill turtle *(Eretmochelys imbricata)* and green sea turtle *(Chelonia mydas)*. Off the points of the refuge coral reefs stretch up to 200 metres into the open sea, and in nearby waters there are dolphins, reef fish, lobsters, octopus, sponges, sea urchins, sea stars, anemones, sea fans and seas cucumbers.

A large part of the refuge, which is flat or hilly land, is covered in forests while the rest is grassland and fields. In those forests the dominant species is the 'cátivo' *(Prioria copaifera)*. Other ecosystems are flooded forest, herbaceous swamps and wetlands. The Punta Mona and Gandoca wetlands basically consist of raffia palm *(Raphia taedigera)* and 'árbol orey' *(Campnosperma panamensis)*. The Gandoca mangrove swamp hosts five mangrove species and the only bank of oysters *(Crassostrea rhizophorae)* in the Caribbean.

The refuge, which has 357 bird especies, also protects various animal species threatened with extinction in Costa Rica, e.g. Baird's tapir *(Tapirus bairdii)* and the crocodile *Crocodylus acutus*, manatee *(Trichechus manatus)* – which lives in Gandoca Lagoon – and the great green macaw or Buffon's macaw *(Ara ambigua)*. The refuge was included on the List of Ramsar's Wetlands of International Importance. Partly asphalted roads lead from Limón to the towns of Manzanillo and Gandoca, with their Afro-Caribbean culture. Trails to the two sectors start from there.

LIMONCITO NATIONAL WILDLIFE REFUGE

It has great recreational potential as it lies just 2 km south of the city of Limón. It is covered in stands of raffia palm *(Raphia taedigera)*, flooded forest, with many palms and 'cátivos' *(Prioria copaifera)*, and a small mangrove swamp. Mantled howler monkeys *(Alouatta palliata)* are very common. Although the waves are strong, the beach is extremely scenic thanks to the many coconut palms *(Cocos nucifera)*. The road between Limón and La Bomba crosses this refuge.

PACUARE PROTECTION ZONE

This is part of the middle basin of the River Pacuare. It is a very wet area (as much as 4,000 mm annually), where a large part of the original forest has been conserved. The vegetation consists of very wet forests, both lowland and intermediate, in which some of the tallest trees are the 'espavel' *(Anacardium excelsum)* and 'nargusta' *(Terminalia oblonga)*. Wild cat species are very common in this protection zone. Several of the dirt tracks that branch off from the Turrialba-Siquirres highway offer views of the forest and go as far as the bed of the Pacuare.

RESERVA FORESTAL PACUARE-MATINA

Cubre el sector comprendido entre las bocas de los ríos Pacuare y Matina. El área contiene vegetación de playa, bosques mixtos con abundancia de cativo (*Prioria copaifera*) y cedro macho (*Carapa guianensis*), y pantanos en los que abunda la palma yolillo (*Raphia taedigrera*) y el sangregao, (*Pterocarpus hayesii*). En la playa, que es de alta energía, nidifican tortugas marinas, incluyendo la baula (*Dermochelys coriacea*) y la verde (*Chelonia mydas*). También abundan aquí las tortugas de río. Los canales de Tortuguero atraviesan esta reserva.

ZONA PROTECTORA CUENCA DEL RÍO BANANO

Protege la cuenca superior del río Banano. La conservación de los bosques de esta cuenca, que cubren el 70% de esta zona protectora de topografía muy accidentada, es de particular importancia para preservar los acuíferos que surten de agua a la ciudad de Limón. Esta zona protectora se encuentra en su mayor parte cubierta por una floresta muy húmeda, en la que sobresalen árboles de ceiba (*Ceiba pentandra*), cedro amargo (*Cedrela odorata*) y fruta dorada (*Virola koschny*). Algunos caminos de tierra que parten de La Bomba permiten llegar cerca de los límites de esta área.

ZONA PROTECTORA CUENCA DEL RÍO SIQUIRRES

Abarca la cuenca superior del río Siquirres y de otros ríos. Es un área muy lluviosa –hasta 4.000 mm por año– cuyos bosques requieren protección como forma de regular el régimen hídrico. Algunas especies de árboles grandes aquí presentes son el pilón (*Hyeronima alchorneoides*), el jabillo (*Hura crepitans*), el ceiba (*Ceiba pentandra*) –que muestra grandes gambas o contrafuertes– y el espavel (*Anacardium excelsum*). Desde la carretera que comunica Turrialba con Siquirres, en el Alto del Guayacán, se observa parte de esta zona protectora.

HUMEDAL NACIONAL CARIARI

La confluencia de agua dulce procedente de ríos y canales, con el agua salada del mar, da lugar en este humedal a la presencia de una gran diversidad de especies de flora y fauna. Son aquí muy abundantes los árboles de pumpumjoche (*Pachira aquatica*) y de guaba (*Inga* spp.). Este es un buen lugar para observar los manatíes (*Trichechus manatus*). Se puede llegar hasta el borde del humedal siguiendo un sendero que parte de los canales de Tortuguero.

HUMEDAL LACUSTRINO BONILLA-BONILLITA

Comprende las lagunas Bonilla y Bonillita, de unas 80 ha, de gran belleza escénica, de origen meándrico-tectónico y rodeadas de bosques y potreros. En estas lagunas abundan los guapotes (*Parachromis* sp.) y las tortugas de río (*Chrysemys ornata* y *Rhinoclemmys funerea*), y en los bosques que las rodean son muy frecuentes los tucanes pechigualdos (*Ramphastos swainsonii*), las oropéndolas (*Psarocolius montezuma* y *P. wagleri*) y las garcitas verdosas (*Butorides striatus*). Estas lagunas se localizan en las márgenes del río Reventazón, cerca de la carretera Turrialba-Lajas-Bonilla, en parte asfaltada y en parte lastrada.

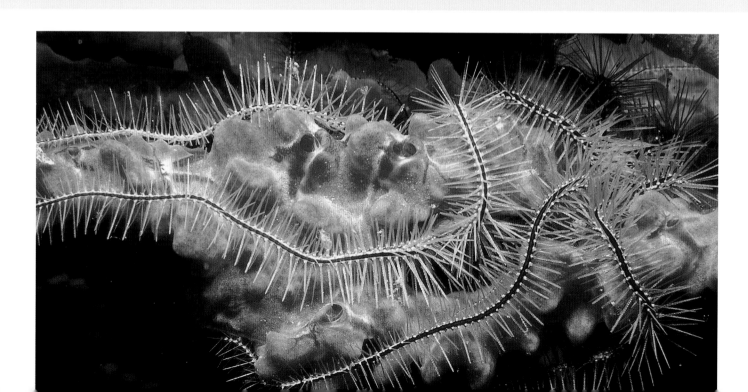

De izquierda a derecha, un ofiuroideo sobre una esponja en uno de los parches arrecifales del litoral caribeño costarricense, el abundante sapo marino, y la playa de Manzanillo, formada por arenas blancas.

From left to right, a brittle star (Ophiuroidea) *on a sponge in one of the coral 'parches' of Costa Rica's Caribbean coastline, the common cane toad or marine toad, and white-sand Manzanillo.*

PACUARE-MATINA FOREST RESERVE

This covers the sector included between the mouths of the rivers Pacuare and Matina. The area contains beach vegetation, mixed forest with lots of 'cátivo' (*Prioria copaifera*) and 'cedro macho' (*Carapa guianensis*), and swamps full of raffia palm (*Raphia taedigrera*) and 'sangregao' (*Pterocarpus hayesii*). Sea turtles, including the leatherback (*Dermochelys coriacea*) and green sea turtle (*Chelonia mydas*), nest on the beach, which is brimming with life. There are also a great many river turtles there. The Tortuguero Channels cross this reserve.

RIVER BANANO BASIN PROTECTION ZONE

This protects the upper basin of the River Banano. Conserving the forests of this basin, which covers 70% of this protected area and has very rugged terrain, is particularly important to protect the aquifers that supply the city of Limón with water. This protected area is mainly covered in very moist tropical forest containing silk cotton tree (*Ceiba pentandra*), the cedar *Cedrela odorata* and banak (*Virola koschny*). Some dirt tracks leave La Bomba and go very near the boundaries of this protection zone.

CUENCA DEL RÍO SIQUIRRES PROTECTION ZONE

It covers the upper basin of the River Siquirres and other rivers. It is a very wet area (up to 4,000 mm per year), whose forests need to be protected as a way of regulating the water regime. Some species of large trees to be found here are *Hyeronima alchorneoides*, 'jabillo' (*Hura crepitans*), silk cotton tree (*Ceiba pentandra*) – with its sturdy buttresses – and the 'espavel' (*Anacardium excelsum*). Part of this protected area is visible from the road that links Turrialba and Siquirres, in Alto del Guayacán.

CARIARI NATIONAL WETLAND

The confluence of freshwater from rivers and channels with sea water gives rise to a great diversity of species of flora and fauna. In this wetland there are a many provision trees (*Pachira aquatica*) and ice cream beans (*Inga* spp.). This is a good place to spot manatees (*Trichechus manatus*). Access to the edge of the wetland is along a path that starts from the Tortuguero Channels.

BONILLA-BONILLITA LACUSTRINE WETLAND

It includes the very beautiful Bonilla and Bonillita lagoons (80 ha), which originated in tectonic meanders and are surrounded by forest and 'potreros'. The lakes contain numerous *Parachromis* species of fish and river turtles (*Chrysemys ornata* and *Rhinoclemmys funerea*). In these lagoons there are lots of river turtles (*Chrysemys ornata* and *Rhinoclemmys funerea*). In the surrounding forests, chestnut-mandibled toucans (*Ramphastos swainsonii*), oropendolas (*Psarocolius montezuma* and *P. wagleri*) and green-backed herons (*Butorides striatus*) are very common. These lagoons are located on the edges of the Reventazón River near the Lajas-Bonilla Abajo road, which is partially asphalted.

LA AMISTAD-PACÍFICO

Densos bosques primarios muy húmedos (arriba)
tapizan la complicada topografía del Parque Nacional
Tapantí-Cerro de la Muerte. Abajo, laguna de origen
glaciar en el Parque Nacional Chirripó, y el lugar
conocido como Los Crestones, en esta misma área
protegida.

Thick very moist primary forest (above) carpet the
rugged terrain of the Tapantí-Cerro de la Muerte
National Park. Below, a glacial lagoon in Chirripó
National Park, and the site known as Los Crestones,
in this conservation area.

117

RESERVA DE LA BIOSFERA LA AMISTAD

ABAJO, LAS GRANDES HOJAS de la sombrilla de pobre en el Parque Nacional Tapantí-Cerro de la Muerte. A la derecha, uno de los tributarios del río Grande de Orosí.

BELOW, THE LARGE LEAVES of a poorman's umbrella in Tapantí-Cerro de la Muerte National Park. Right, a tributary of the River Grande de Orosí.

ESTA GRAN ÁREA PROTEGIDA SE ENCUENTRA conformada por el Parque Nacional Tapantí-Macizo de la Muerte, el Parque Nacional Chirripó, el Parque Nacional Barbilla, la Reserva Biológica Hitoy-Cerere y el Parque Internacional La Amistad, más algunas reservas forestales e indígenas. Comprende la región de mayor diversidad biológica del país y constituye el bosque natural más grande de Costa Rica. Fue declarada por la UNESCO como Reserva de la Biosfera en 1982 y Sitio del Patrimonio Mundial en 1983. Toda el área protegida abarca gran parte de la cordillera de Talamanca, el sistema montañoso más extenso de América

LA AMISTAD
BIOSPHERE RESERVE

THIS GREAT PROTECTED AREA consisting of Tapantí-Macizo de la Muerte National Park, Chirripó National Park, Barbilla National Park, Hitoy-Cerere Biological Reserve and La Amistad International Park, as well as some forest and native reserves, is the region with the greatest biological diversity in the country, and constitutes the largest natural forest in Costa Rica. It was declared a Biosphere Reserve by UNESCO in 1982 and a World Heritage Site in 1983. The whole area covers a large part of the Talamanca Cordillera, the most extensive mountain system in Central America. The entire

En el Parque Nacional Hitoy-Cerere, la alta pluviosidad y la complicada conformación del terreno permiten la presencia de numerosas cascadas.

In Hitoy-Cerere National Park, high rainfall and the rugged terrain have given rise to a large number of waterfalls.

El Parque Internacional La Amistad (arriba) comparte su superficie con el parque nacional panameño del mismo nombre. Ambos parques están incluidos en la Lista del Patrimonio Mundial de la UNESCO.

La Amistad International Park (above) shares its surface area with the Panamanian national park of the same name. Both parks are included on UNESCO's World Heritage List.

Central. En toda esta cordillera se encuentran evidencias de actividad volcánica en forma de domos y relictos volcánicos, con una edad que oscila entre 16 y 1 millón de años.

El cerro Chirripó, de 3.819 m, es la cumbre más prominente de Costa Rica y el mejor mirador del país; desde su cima es posible observar ambos océanos y la mitad de todo el territorio nacional. Uno de los rasgos geomorfológicos más llamativos del cerro Chirripó son las huellas de un glaciarismo que data de hace unos 35.000 años y del que son testigos los valles en U, las morrenas terminales, los circos glaciares y las lagunas –más de 30–, que han generado las masas de hielo en movimiento. Las lagunas son de aguas azules, límpidas y muy frías, carentes de peces, y una de ellas, la San Juan, tiene una profundidad de 22 m. Además de la extraordinaria belleza escénica de los valles de los Lagos, de los Conejos y de las Morrenas, y de la Sabana de

Los Leones, uno de los hitos más impresionantes del parque son Los Crestones, una mole rocosa muy fragmentada, de paredes verticales, cuyo aspecto le hace honor a su nombre.

Dentro de esta reserva se encuentra un número extraordinario de hábitats, producto de la diversidad de pisos altitudinales, suelos y climas, así como de la topografía y la vertiente, entre otros factores más locales. Los páramos que se extienden a partir de los 2.900 m y que constituyen el límite septentrional de los páramos andinos, consisten en un bosque achaparrado de arbustos, gramíneas, helechos, musgos, hepáticas, hongos verdaderos, líquenes y algas, en los que una de las plantas más comunes es la batamba *(Chusquea subtessellata)*, un bambú enano. Las ciénagas se encuentran restringidas a pequeñas áreas a gran altura, formadas por comunidades herbáceas y arbustivas sobre suelos ácidos. Las turberas anegadas, incorporadas a la Lista de Humedales de Importancia Internacional de Ramsar en 2003, están formadas por ciperáceas, helechos grandes, esfagnos y musgos. Los madroñales están constituidos por el madroño enano *(Comarostaphylis arbutoides)* como especie principal y ocupan extensas áreas en las partes altas. Los helechales están compuestos principalmente por el helecho *Lomaria* spp., de 1-2 m de altura, y por el musgo *(Sphagnum* spp.) que forman asociaciones muy densas. Dominando los robledales se observan emergiendo de la niebla enormes árboles de troncos muy rectos de roble negro *(Quercus costaricensis)*. Arthur Bevan, mientras realizaba investigaciones en estos bosques de roble, en 1942, exclamó: "son como el hogar ancestral de los gnomos."

Los bosques mixtos o bosques nublados, altos y muy húmedos, cubren la mayor parte de esta extensa área protegida y contienen una alta complejidad florística. Algunos de los árboles más grandes –los gigantes del bosque–, que alcanzan de 40 a 50 m de altura y pueden vivir hasta 1.500 años son, además del roble

cordillera yields evidence of volcanic activity in the form of domes and volcanic remains ranging in age from 16 to 1 million years.

Chirripó Hill, at 3, 819 m, is the highest peak and best vantage point in Coasta Rica; from the top you can see both oceans and half the national territory. One of the most striking geomorphological features of Chirripó Hill is the evidence of glaciation dating from 35,000 years ago in the form of the U-shaped valleys, terminal morraines, glacial cirques and over 30 lakes, the result of moving ice masses. The water in the lakes is blue, clear and very cold and there are not fish. One of them – San Juan – is 22 metres deep. Besides the great scenic beauty of Valle de los Lagos, Valle de los Conejos, Valle de las Morrenas, Valle de la Sabana de Los Leones, one of the most impressive landmarks in the park is Los Crestones (The Ridges), a highly fragmented mass of rock, with sheer walls. Its appearance does justice to its name.

This reserve contains an extraordinary number of habitats resulting from the diversity of altitudinal storeys, soils and climates as well as topography and orientation, amongst other more local factors. The upland plains that extend above 2,900 m represent the northern boundary of the upland areas in the Andes, consisting of stunted forest of shrubs, grasses, moss, hepaticae, true fungi, lichens and algae. The most common plant is a species of bamboo called 'batamba' (Chusquea subtessellata).

The swampland is limited to small high-altitude areas where communities of herbaceous plants and bushes grow on acid soils. Peat bogs, listed on Ramsar's List of Wetlands of International Importance in 2003, host ciperaceae, large ferns, sphagnum and moss. The main species in the madroño

stands is dwarf madroño (Comarostaphylis arbutoides), which covers large areas in the uplands. The oak forest mainly comprises enormous oaks (Quercus costaricencis), huge trees with very straight trunks rising out of the mist. While conducting research in these oak forests in 1942, Arthur Bevan exclaimed: 'they are like the ancestral home of the gnomes'.

Mixed forests or high and very moist cloud forests cover most of this extensive protected area and contain very complex plant life. Some of the biggest trees – the forest giants – reach 40 to 60 m high and can live 1,500 years. Besides black oak they include white oak (Quercus copeyensis), the small pine Prumnopitys standleyi, white cypress (Podocarpus macrostachyus), magnolia (Magnolia sororum) and 'arrayán' (Weinmannia wercklei). In the open

Los bosques húmedos y muy húmedos siempreverdes, muchas veces cubiertos de nubes y nieblas, cubren la mayor parte de esta extensa área protegida, albergando en su interior una sorprendente biodiversidad.

Moist forests and very moist evergreen forests, often covered in cloud and mist, cloak most of this vast conservation area, hosting surprising biodiversity.

Las selvas de la Reserva de Biosfera La Amistad forman el bosque más grande de Costa Rica. A la derecha, la densidad del bosque muy húmedo tropical del Parque Nacional Hitoy-Cerere. Sobre estas líneas, una vistosa rana del género Agalychnis.

The jungles of La Amistad Biosphere Reserve make up the largest forest in Costa Rica. On the right, the dense tropical very moist forest of Hitoy-Cerere National Park. Above, an eye-catching frog of the genus Agalychnis.

negro, el roble blanco *(Quercus copeyensis),* el pinillo *(Prumnopitys standleyi),* el cipresillo *(Podocarpus macrostachyus),* la magnolia *(Magnolia sororum)* y el arrayán mora *(Weinmannia wercklei).* En las áreas abiertas, taludes y orillas de los ríos crecen las dos especies de sombrilla de pobre *(Gunnera insignis* y *G. talamancana),* y abundan los helechos arborescentes, los líquenes, los musgos y los hongos. Las copas de los árboles están cargadas de bromelias, orquídeas y helechos.

Los bosques húmedos siempreverdes, en Hitoy-Cerere, Tapantí y Barbilla, son densos, comprenden varios estratos y poseen una gran riqueza de especies; entre los árboles más conspicuos se encuentran el ceiba *(Ceiba pentandra)* –que alcanza los 50 m de altura–, el manú negro *(Minquartia guianensis)* y el fruta dorada *(Virola koschnyi).* La cordillera de Talamanca es una de las áreas con mayor grado de endemismo florístico del país; un ejemplo lo constituye la *Puya dasylirioides,* cuyo género es de origen andino.

La fauna es extraordinariamente diversa. Aquí se encuentran cabros de monte *(Mazama americana),* coyotes *(Canis latrans),* puercoespines *(Sphiggurus mexicanus),* conejos de montaña *(Sylvilagus dicei)* –comunes en los páramos–, las 6 especies de felinos presentes en Costa Rica y la población de dantas *(Tapirus bairdii)* más importante del país. Se han observado 263 especies de anfibios y reptiles, como la salamandra montañera *(Bolitoglossa subpalmata),* la lagartija espinosa *(Sceloporus malachiticus)* y el dragón *(Mesaspis monticola)* –ambos comunes en los páramos. Hitoy-Cerere, que presenta condiciones idóneas para los anfibios, incluye un total de 29 especies, entre ellas la rana toro *(Leptodactylus pentadactylus).* Se han censado unas 400 especies de aves, destacando la presencia del quetzal *(Pharomachrus mocinno),* y de un gran número de especies de colibríes y yigüirros. Recientemente se descubrió que Talamanca constituye un corredor biológico de máxima importancia para la migración continental de gavilanes, zopilotes y otras rapaces, llegándose a contar en 2001 la extraordinaria cifra de casi 3 millones de estas aves. Se estima que este megaparque incluye más del 60% de todos los vertebrados e invertebrados de Costa Rica.

El clima de la región depende de la altitud y de la vertiente, aunque en general es muy húmedo; llueve al menos 3.200 mm al año y se estima que en algunos lugares, como Tapantí, la precipitación alcanza los 8.000 mm. Las partes más altas están sometidas a heladas frecuentes –sobre todo de noviembre a marzo–

areas, edges and river banks the two species of poorman's umbrella *(Gunnera insignis* and *G. talamancana)* grow along with tree ferns, lichens, mosses and fungi. The treetops are draped in bromeliads, orchids and ferns.

The dense evergreen moist forests, especially in Hitoy-Cerere, Tapantí and Barbilla, are made up of several strata and are very rich in species. Among the most conspicuous trees are silk cotton tree *(Ceiba pentandra),* which grows up to 50 m high, black manwood *(Minquartia guianensis)* and banak *(Virola koschnyi).* The Talamanca Cordillera has one of the highest degrees of plant endemisms in the country. One example of this is the *Puya dasylirioides,* whose genus is of Andean origin.

The fauna is extraordinarily diverse. Aquí se encuentran brocket deer *(Mazama americana),* coyotes *(Canis latrans),* porcupines *(Sphiggurus mexicanus),* rabbits *(Sylvilagus dicei)* –common on the 'páramos'. The six cat species of Costa Rica are found here, as well as the biggest population of Baird's tapir *(Tapirus bairdii)* in the country. Around 263 species of amphibia and reptiles have been recorded, such as the salamander *Bolitoglossa subpalmata,* green spiny lizard *(Sceloporus malachiticus)* and alligator lizard *(Mesaspis monticola)* – both common on the 'páramos'. Hitoy-Cerere, which is ideal for amphibians, can boast a total of 29 species,

La Reserva de la Biosfera La Amistad abarca gran parte de la cordillera de Talamanca, el sistema montañoso más extenso y diverso de América Central. A la derecha, bosque en Hitoy-Cerere.

La Amistad Biosphere Reserve covers a large part of the Talamanca Cordillera, the largest and most diverse mountain system in Central America. Right, forest in Hitoy-Cerere.

y a cambios bruscos de temperatura –hasta de 24° C entre el día y la noche. Los incendios durante la estación seca causan graves daños en los páramos y bosques de roble vecinos; incendios de grandes proporciones tuvieron lugar en Chirripó en 1976 y 1985, y también hace unos 4.000 años.

La Administración del Parque Internacional La Amistad se localiza en la población de Altamira; se llega vía San José-Buenos Aires-Colorado-Altamira (270 km), por camino en parte pavimentado y en parte lastrado. La Administración del Parque Chirripó se encuentra cerca de San Gerardo de Rivas, a 18 km por camino lastrado desde San Isidro de El General. La Administración de Hitoy-Cerere se localiza al borde de esta reserva; se llega desde Limón vía Penshurt-Valle de la Estrella (67 km), por camino en parte pavimentado y en parte lastrado. La Administración de Tapantí-Macizo de la Muerte se encuentra cerca de la entrada a este parque; se llega desde Cartago vía Orosí-Purisil (27 km), por camino en parte pavimentado y en parte lastrado. Un camino interno de lastre permite recorrer gran parte de este parque. La Administración del parque Barbilla se localiza en el caserío Las Brisas de Pacuarito, a 20 km de Siquirres. Todas las áreas protegidas que integran esta reserva cuentan con senderos a sitios de interés biológico, geológico y escénico; en algunas existen áreas para acampar y en Los Crestones hay un albergue.

Las seis especies de felinos que viven en el país poseen importantes poblaciones en esta reserva de biosfera. A la izquierda, un ejemplar de tigrillo.

There are large populations of Costa Rica's six cat species in this biosphere reserve. On the left, a margay.

including 'rana toro' (*Leptodactylus pentadactylus*). Around 400 bird species have been recorded, including quetzal (*Pharomachrus mocinno*) and a large number of humming-birds and 'yigüirros'. Talamanca was recently discovered to be an extremely important biological corridor for the continental migration of hawks and vultures and other birds of prey, with almost 3 million being recorded in 2001. This megapark is estimated to include over 60% of all Costa Rica's vertebrates and invertebrates.

The region's climate depends on altitude and orientation although, in general, it is very moist with at least 3,200 mm of annual rainfall and, in some places, such as Tapantí, estimated precipitation of as much as 8,000 mm. The highest parts experience frequent frosts, specially from November to March, and sudden changes in temperature by as much as 24° C between daytime and nightime. In the dry season fires cause serious damage on the páramos and neighbouring oak forests; widespread fires occurred in Chirripó in 1976 and 1985, and also 4,000 years ago.

The La Amistad International Park administration is located in the town of Altamira. Access is via San José-Buenos Aires-Colorado-Altamira (270 km), over partly asphalted and partly grit roads.

The Chirripó Park offices are near San Gerardo de Rivas 18 km along a grit track from San Isidro de El General.

The Hitoy-Cerere offices are located on the edge of the reserve. Access is from Limón via Penshurt-Valle de La Estrella (67 km) on a partly asphalted and partly grit road.

The Tapantí-Macizo de la Muerte offices are near the park entrance with access from Cartago via Orosí-Purisil (27 km) along a partly asphalted and partly grit road. An internal grit road can be used to cover a large part of the park.

The office of Barbilla Park is in the Las Brisas de Pacuarito farmhouse 20 km from Siquirres. In all the protected zones in this reserve there are sites of biological, geological and scenic interest; in some there are camping sites, and at Los Crestones there is a hostel.

La laguna de San Juan, en el Parque Nacional Chirripó, es una de las muchas manifestaciones glaciares que se conservan en el área protegida. A la izquierda, flores de los bosques primarios siempreverdes.

San Juan Lagoon in Chirripó National Park is one of the many glacial features preserved in the protected area. Left, vegetation of evergreen primary forests.

Reserva Forestal Río Macho

Es un área muy quebrada que presenta profundos cañones excavados por los 150 ríos que descienden de las partes más altas de la cordillera de Talamanca. La zona es de muy alta precipitación; en la cuenca del río Macho llueve hasta 8.700 mm por año. La mayor parte de esta reserva está cubierta por un bosque primario muy húmedo, en el cual algunas de las especies dominantes son el roble *(Quercus* spp.), el tirrá *(Ulmus mexicana)* y el ira rosa *(Ocotea austinii)*. Los bosques de esta reserva tienen una enorme importancia en el suministro de agua para generación hidroeléctrica y para uso doméstico en el Valle Central. Algunos caminos que parten de Río Macho permiten adentrarse un poco en esta reserva.

Zona Protectora Las Tablas

Forma parte de la Reserva de la Biosfera La Amistad. El bosque aquí existente, que cubre casi la totalidad de la zona protectora, es alto y diverso en especies arbóreas, con predominio de robles *(Quercus* spp.). Las lauráceas, principal alimento del quetzal *(Pharomachrus mocinno)*, forman aquí rodales casi puros en algunas zonas. En el sotobosque abundan las palmas y la mayoría de los árboles están cargados de epifitas. En esta zona, que es muy lluviosa, nace una gran cantidad de ríos que abastecen de agua a toda la región de San Vito. Un camino lastrado vía San Vito-La Lucha-Las Tablas permite conocer los bosques, realmente hermosos, de esta zona protectora.

Zona Protectora Río Navarro y Río Sombrero

Se localiza en el extremo noroeste del complejo de La Amistad. Son terrenos de topografía medianamente quebrada, cubiertos parcialmente de bosques primarios intervenidos y bosques secundarios, cuya protección y restauración tienen gran importancia para generación hidroeléctrica. En las partes más altas predominan los robledales *(Quercus* spp.). En esta área protegida son comunes las oropéndolas cabecicastañas *(Psarocolius wagleri)*, los tucanetes esmeralda *(Aulacorhynchus prasinus)* y diversas especies de colibríes. Algunos caminos de tierra que parten desde Puente Negro, cerca de Orosí, permiten adentrarse un poco en esta zona protectora.

Humedal de San Vito

Constituye un humedal lacustrino permanente, constituido por varias lagunas y lagunetas y por un bosque pantanoso. Es un lugar ideal para nadar, pescar guapotes *(Parachromis* sp.) y observar aves acuáticas como patos, suríris piquirrojos o piches *(Dendrocygna autumnalis)* –muy abundantes–, martines pescadores *(Chloroceryle* sp.) y tántalos americanos *(Mycteria americana)*. Un mamífero común en este humedal y que ha desaparecido de la mayoría de los ríos y pantanos del país es la nutria *(Lontra longicaudis)*. Un camino de tierra que parte del campo de aterrizaje de San Vito permite llegar hasta este humedal.

Humedal Palustrino Laguna del Paraguas

Es una laguna de 1/4 de ha, importante para la protección de aves, tanto migradoras como residentes, que se encuentra rodeada por áreas de juncos y zacates y por bosques primarios y secundarios. Esta laguna contiene muchas especies de peces, algunos endémicos, que son hábilmente cazados por especies de aves como la garza azulada *(Ardea herodias)*, la garza migradora de mayor tamaño del país. Un camino de tierra que parte de San Vito permite llegar hasta esta laguna.

De izquierda a derecha, un carpintero centroamericano y un saíno, especies muy comunes en las áreas de conservación de la Reserva de la Biosfera La Amistad; el anfibio Dendrobates auratus; *una planta de la zona, y las densas masas forestales de bosque primario muy húmedo de Tapantí.*

From left to right, a Central American woodpecker and a collared peccary, very common species in the conservation areas of La Amistad Biosphere Reserve; the amphibian Dendrobates auratus; *a local plant; and thick tracts of very moist primary forest in Tapantí.*

Río Macho Forest Reserve

This area is deeply etched by water courses with deep canyons carved out by the 150 rivers that flow down from the highest parts of the Talamanca Mountains. Precipitation in the area is very high; in the basin of the River Macho up to 8,700 mm of rain falls per year. Most of this reserve is covered in very wet primary forest with predominant species that include oaks (*Quercus* spp.), elms (*Ulmus mexicana*) and 'iras' (*Ocotea austinii*). The forests in this reserve are enormously important for supplying water for hydroelectric power and for domestic use in the Valle Central. A few roads out of Río Macho go a little way into the reserve.

Las Tablas Protection Zone

It forms part of the La Amistad Biosphere Reserve. The forest here covers almost all the protected area. It is tall and has a diversity of tree species, with a predominance of oaks (*Quercus* spp.). In some parts, Lauraceae bushes, the main food of the quetzal (*Pharomachrus mocinno*), form almost pure stands. In the undergrowth, there are lots of palms and most of the trees are weighed down with epiphytes. This very wet zone is the source of a large number of rivers that supply the whole San Vito region with water. A grit road joining San Vito, La Lucha and Las Tablas allows visitors to get a taste of the really beautiful forests in this protected area.

Río Navarro and Río Sombrero Protection Zone

At the northwest end of La Amistad complex, this area is quite rugged and partially covered in disturbed primary and secondary forests, which are very worthwhile protecting and restoring for hydroelectric power. In the uppermost parts there is mainly oak forest (*Quercus* spp.). In this protected area chestnut-headed oropendolas (*Psarocolius wagleri*), emerald toucanets (*Aulacorhynchus prasinus*) and various species of hummingbirds are very common. A few dirt roads leave Puente Negro near Orosí and enable visitors to go a little way into this protected area.

San Vito Wetland

This is a permanent lacustrine wetland consisting of several large and small lagoons and a swamp forest. It is an ideal spot for swimming, catching fish (*Parachromis* sp.) and watching birds such as black-bellied whistling ducks (*Dendrocygna autumnalis*) – very abundant – kingfishers (*Chloroceryle* sp.) and wood storks (*Mycteria americana*). A common mammal in this wetland, which has disappeared from most of the country's rivers and swamps, is the otter (*Lontra longicaudis*). There Is a dirt track from the landing strip at San Vito to this wetland.

El Paraguas Lagoon
Palustrine Wetland

This 14-hectare lagoon, important for the protection of both migratory and resident birds, is surrounded by stands of reed and 'zacates' and by primary and secondary forests. It contains many species of fish, some of them endemic, which are skilfully caught by birds like the great blue heron (*Ardea herodias*), the largest migratory heron in the country. A dirt track goes from San Vito to the lagoon.

Osa

Un sector importante del litoral pacífico costarricense –especialmente en su mitad sur– se encuentra protegido por diferentes áreas de conservación. Dos de las más importantes son el Parque Nacional Corcovado, del que vemos junto a estas líneas una sección de su costa, y el Refugio Nacional de Fauna Silvestre Golfito, con sus selvas cubiertas de nieblas (derecha). Abajo, un piquero pardo en el Parque Nacional Marino Ballena.

A large part of Costa Rica's Pacific coastline – especially in the southern half – is protected in various conservation areas. Two of the most important are Corcovado National Park – part of the coastline appears in the photo alongside – and Golfito National Wildlife Refuge, with its forests cloaked in mist (right). Below, a brown booby in Ballena National Marine Park.

PARQUE NACIONAL MARINO BALLENA

ESTE PARQUE NACIONAL posee cinco playas principales, algunas de blancas arenas y otras pedregosas como la de Piñuela (abajo). Hasta la línea de mareas llegan los cocoteros junto a numerosos arbustos.

THIS NATIONAL PARK has five main beaches, some are white sand and others, such as Piñuela Beach are rocky (below). Coconut palms along with many shrubs grow down as far as the tideline.

A PESAR DE SU PEQUEÑO TAMAÑO, este parque marino contiene 6 hábitats principales: playas arenosas y pedregosas, manglares, acantilados, islas y un arrecife de coral. Una playa arenosa de 4 km de largo se extiende entre las puntas Uvita y Quebrada Grande. El tipo de vegetación más extenso es el manglar, en el que se encuentra el mangle colorado *(Rhizophora mangle)*, el salado *(Avicennia germinans)*, el piñuela *(Pelliciera rhizophorae)*, el botoncillo *(Conocarpus erectus)* y el mariquita *(Laguncularia racemosa)*. Esporádicamente se localiza el mora o alcornoque *(Mora oleifera)*, un árbol de gran tamaño, con gambas grandes y delgadas. Entre Punta Piñuela y Punta Uvita se ha desarrollado una plataforma de abrasión marina que se encuentra conectada a

BALLENA NATIONAL MARINE PARK

DESPITE BEING SMALL, THIS PARK HOSTS 6 MAJOR HABITATS: sandy and pebble beaches, mangroves, cliffs, islands and a coral reef. One 4-kilometer sandy beach stretches between Uvita Point and Quebrada Grande Point. The most wide-spread kind of vegetation is mangrove swamp containing red mangrove *(Rhizophora mangle),* black mangrove *(Avicennia germinans),* tea mangrove *(Pelliciera rhizophorae),* buttonwood mangrove *(Conocarpus erectus)* and white mangrove *(Laguncularia racemosa).* The 'alcornoque' *(Mora oleifera),* a very big tree with large thin buttresses, makes an irregular appearance.

Between Piñuela Point and Uvita Point a marine abrasion platform has formed. It is connected to the mainland via a sandy bridge or tombolo, which took shape naturally through the defraction of the waves on the rocky point. It can easily be visited at low tide. On Ballena Island and the

*U*NO DE LOS SEIS HÁBITATS *principales de este parque nacional y a la vez el más extendido es el manglar, que alcanza un gran desarrollo en la desembocadura del río Baru (arriba). Junto a estas líneas, la playa Bahía.*

*O*F THE SIX HABITATS IN THIS **national park, the most extensive is mangrove swamp, which is well developed at the mouth of the River Baru (above). Alongside, Bahía Beach.**

Arriba, un bando de corocoros blancos descansando junto al manglar y, a la derecha, el tómbolo que conecta la plataforma de abrasión marina con tierra firme.

Above, a flock of white ibis alongside the mangrove swamp and, right, the tombolo or spit that joins the marine abrasion platform to the mainland.

tierra firme por un puente arenoso o tómbolo formado naturalmente por la difracción de las olas al chocar con la punta rocosa. Se puede visitar fácilmente durante la marea baja. En la isla Ballena y los islotes Las Tres Hermanas existen dos especies de reptiles: la iguana verde *(Iguana iguana)* y el cherepo *(Basiliscus basiliscus)*. Las tijeretas de mar *(Fregata magnificens),* los corocoros blancos *(Eudocimus albus)* y los pelícanos alcatraces *(Pelecanus occidentalis)* utilizan estas islas como lugar de descanso.

Los arrecifes de coral están formados por cinco de las 18 especies que se han censado en el Pacífico Oriental, incluyendo *Pavona clavus,* uno de los principales formadores de arrecifes. Además de su riqueza piscícola y de la abundancia de invertebrados marinos, en las aguas del parque pueden observarse orcas *(Orcinus orca)* junto a delfines comunes *(Delphinus delphis),* delfines manchados *(Stenella attenuata),* delfines giradores *(Stenella longirostris)* y delfines de nariz de botella *(Tursiops truncatus).* Durante casi todo el año se observan también ballenas jorobadas *(Megaptera novaeangliae),* en grupos de 4 hasta 12 individuos, incluyendo ballenatos, que emigran hasta aquí tanto del hemisferio austral –de junio a noviembre– como del boreal –de diciembre a abril. En playa Ballena desovan tortugas marinas.

Ballena se encuentra en la costa del Pacífico, en la bahía de Coronado. La principal ruta de acceso es San José-Quepos-Dominical-Uvita-Bahía (228 km), camino que está en parte pavimentado y en parte lastrado.

Las Tres Hermanas Islets there are two species of reptiles: the green iguana *(Iguana iguana),* and the basilisk *(Basiliscus basiliscus).* Magnificent frigate birds *(Fregata magnificens),* white ibis *(Eudocimus albus)* and brown pelicans *(Pelecanus occidentalis)* use these islands as a roosting site.

The coral reefs are made up of five of the 18 species recorded in the Eastern Pacific, including *Pavona clavus,* a major reef-forming species. In addition to the wealth of fish and the abundance of marine invertebrates in park waters, it is possible to see common dolphins *(Delphinus delphis),* pantropical spotted dolphins *(Stenella attenuata),* spinner dolphins *(Stenella longirostris)* and bottle-nosed dolphins *(Tursiops truncatus).* Almost all year round it is possible to see humpback whales *(Megaptera novaeangliae)* in groups of from 4 to 12 individuals, including young, which emigrate here from the southern and northern hemispheres from June to November and December to April. Marine turtles lay their eggs on Ballena Beach.

Marino Ballena National Park is on the Pacific Coast in Coronado Bay. The main access route is San José-Quepos-Dominical-Uvita-Bahía (228 km), a road that is partly asphalted and partly grit.

A LA IZQUIERDA, UNA VISTA AÉREA del denso manglar, de la playa y del litoral marino del parque. Abajo, los grandes cocoteros que se desarrollan en la playa Bahía.

LEFT, A GENERAL VIEW of thick mangrove swamp, of the beach and the seaboard in the park. Below, large coconut trees on Bahía Beach.

PARQUE NACIONAL CORCOVADO

Es una de las áreas más lluviosas del país –hasta 5.500 mm en los cerros más elevados– y su vegetación, una de las más ricas y diversas de Costa Rica, tiene gran afinidad florística con Suramérica. Los principales hábitats son el bosque de montaña, que cubre más de la mitad del parque y contiene la mayor variedad de especies de fauna y flora del área; el bosque nublado, que ocupa las partes más elevadas y es muy rico en robles (Quercus insignis y Q. rapurahuensis) y en helechos arborescentes; el bosque alto de llanura, que ocupa la parte aluvial del parque; el bosque pantanoso, que permanece inundado casi todo el año; el yolillal, con predominio de la palma yolillo (Raphia taedigera); el pantano herbáceo de agua dulce o laguna de Corcovado, de más de 1.000 ha de superficie, cubierta por hierbas y arbustos y que constituye un excepcional refugio para la fauna, particularmente para el cocodrilo (Crocodylus acutus); el manglar, que se encuentra en los esteros de los ríos Llorona, Corcovado y Sirena, y la vegetación litoral.

En la desembocadura del río Llorona, en el Pacífico, se ha llegado a formar una extensa playa en la que desovan con relativa frecuencia cuatro especies de tortugas marinas.

At the mouth of the Llorona River on the Pacific side, an extensive beach has formed where four species of marine turtle quite often lay their eggs.

CORCOVADO NATIONAL PARK

IT IS ONE OF THE WETTEST AREAS IN THE COUNTRY. As much as 5,500 mm fall on the highest hills. The vegetation, one of the richest and most diverse in Costa Rica, is botanically very similar to South America. The main habitats are mountain forest that covers over half the park and contains the greatest variety of species of fauna and flora in the area; the cloud forest that occupies the highest parts is very rich in oaks *(Quercus insignis* and *Q. rapurahuensis),* and in treeferns; high plains forest, occupying the alluvial part of the park; swamp forest, which is flooded almost all year; raffia forest with raffia palms *(Raphia taedigera);* herbaceous freshwater swamp and Corcovado lagoon (over 1,000 ha), covered in grasses and bushes and an excellent refuge for animals and birds, particularly crocodriles *(Crocodylus acutus);* mangrove swamp in the lagoons of the rivers Llorona, Corcovado and Sirena, and coastal vegetation.

There are 500 species of trees throughout the park, representing a fourth of all the tree species in Costa Rica.

EN LA DESEMBOCADURA DEL RÍO SIRENA, también en el Pacífico, se ha desarrollado un importante bosque anegado, así como una playa también denominada Sirena.

AT THE MOUTH OF THE SIRENA RIVER, also in the Pacific, there is a large forest swamp and a beach also called Sirena.

*A LA DERECHA, EL PANTANO HERBÁCEO de agua dulce,
conocido como laguna de Corcovado, que se extiende
sobre mil hectáreas. A la izquierda, una bella mariposa y,
arriba, un ejemplar de tucán piquiverde.*

*ON THE RIGHT, THE FRESHWATER HERBACEOUS swamp known
as Corcovado Lagoon, which covers over a thousand hectares.
On the left, a lovely butterfly and, above, a keel-billed toucan.*

el alcornoque *(Mora oleifera)* –de hasta 45 m de altura y con tronco con gambas–, el cedro macho *(Carapa guianensis)* –cuyas semillas son comidas por las guatusas *(Dasyprocta punctata)*– y el guácimo colorado *(Luehea seemannii)*.

La fauna de Corcovado es tan variada y rica como su flora. Se conoce la existencia de 140 especies de mamíferos, 367 de aves, 117 de anfibios y reptiles y 40 de peces de agua dulce, y se estima que existen unas 6.000 de insectos. El parque protege la población más grande de lapas rojas o guacamayos macaos *(Ara macao)* del país.

Algunas de las especies amenazadas de extinción o con poblaciones muy reducidas que se encuentran aquí son el pavón norteño *(Crax rubra)*, la pava cojolita *(Penelope purpurascens)*, la danta *(Tapirus bairdii)*, el oso hormiguero gigante *(Myrmecophaga tridactyla)* y cinco de las seis especies de felinos que se encuentran en Costa Rica: el puma *(Puma concolor)*,

Una hembra de jaguar con su pequeña cría se pasea por la playa al amanecer en las proximidades de la desembocadura del río Sirena. A la derecha, la venenosa serpiente bocaracá.

A female jaguar with her small cub walks along the beach at dawn near the mouth of the Sirena River. On the right, the poisonous eyelash viper.

Existen unas 500 especies de árboles en todo el parque, lo que representa una cuarta parte de todas las especies arbóreas de Costa Rica. Algunos, como el endémico y raro gambito *(Huberodendron allenii)*, el nazareno *(Peltogyne purpurea)*, la ceiba *(Ceiba pentandra)* y el espavel *(Anacardium excelsum)*, alcanzan y sobrepasan los 50 m de altura; en las serranías se encuentran dos especies de cacao silvestre *(Theobroma angustifolium* y *T. simiarum)*. En las partes anegadas, el sangregao *(Pterocarpus officinalis)* forma rodales casi puros. Los manglares están constituidos por los mangles colorado *(Rhizophora mangle)*, colorado gigante *(Rhizophora racemosa)*, salado *(Avicennia germinans)*, botoncillo *(Conocarpus erectus)*, blanco *(Laguncularia racemosa)* y piñuela *(Pelliciera rhizophorae)* –cuyas flores atraen colibríes, avispas y moscas. Además de bejucos, helechos y palmas, otros árboles asociados con el manglar son

Some, like the endemic and rare 'poponjoche' *(Huberodendron alleni)*, the purple heart *(Peltogyne purpurea)*, the silk cotton tree *(Ceiba pentandra)* and the 'espavel' *(Anacardium excelsum)*, reach or exceed 50 m high. In the mountains two species of wild cocoa *(Theobroma angustifolium* and *T. simiarum)* occur. In the flooded parts, 'sangregao' *(Pterocarpus officinalis)* form almost pure stand. The mangrove stands consist of red mangroves *(Rhizophora mangle)*, giant red *(Rhizophora racemosa)*, black mangrove *(Avicennia germinans)*, buttonwood mangrove *(Conocarpus erectus)*, white mangrove *(Laguncularia racemosa)* and tea mangrove *(Pelliciera rhizophorae)* – whose flowers attract humming birds, wasps and flies. Besides jungle vines, ferns and palms, other trees associated with mangrove swamps are 'alcornoque' *(Mora oleifera)* – up to 45 m high and with a trunk with buttresses –, 'cedro macho' *(Carapa guianensis)* – whose seeds are eaten by 'guatusas' *(Dasyprocta punctata)* – and the 'guácimo colorado' *(Luehea seemannii)*.

The fauna of Corcovado is as rich and varied as its plants. 140 species of mammals, 367 birds, 117 amphibians and reptiles and 40 freshwater fishes are known to occur, and there are estimated to be 6,000 insects. The park holds the biggest population of scarlet macaw *(Ara macao)* in the country. Some species that are threatened or have very small populations include the great curassow *(Crax rubra)*, crested guan *(Penelope purpurascens)*, Baird's tapir *(Tapirus*

La extensa masa forestal virgen (arriba) que tapiza la mayor parte de la superficie de este parque nacional y su extraordinaria diversidad biológica han convertido a Corcovado en un importante centro internacional de investigación sobre el bosque húmedo tropical.

The extraordinary biodiversity of the extensive pristine forest (above) that cloaks most of Corcovado National Park has made it an important international centre for research on moist tropical forest.

el ocelote *(Leopardus pardalis),* el león breñero *(Herpailurus yaguarondi),* el caucel *(Leopardus wiedii)* y el jaguar *(Panthera onca).*

En las extensas playas Llorona y Corcovado desovan con relativa abundancia cuatro especies de tortugas marinas. En la zona marina, frente a Corcovado, es común observar delfines, tiburones toro *(Carcharhinus leucas)* y tres especies de ballenas, incluyendo la jorobada *(Megaptera novaeangliae).*

Dada su extraordinaria diversidad biológica, Corcovado constituye actualmente un importante centro internacional de investigaciones sobre el bosque húmedo tropical. Este parque,

así como el resto de la península, parece haber sido un importante centro de asentamiento de pueblos prehispánicos, debido a los numerosos sitios arqueológicos que se han localizado prácticamente a lo largo de todos los senderos.

Corcovado se encuentra al suroeste de la península de Osa. A la Administración, que se localiza en Puerto Jiménez, se llega desde Golfito por carretera en parte asfaltada y en parte lastrada. En el parque existen numerosos senderos que conducen a sitios de interés, asi como áreas para acampar y almorzar, y se cuenta con un campo de aterrizaje y una estación biológica en Sirena.

bairdii), giant anteater (Myrmecophaga tridactyla) and five of the six species of cats found in Costa Rica; namely, puma (Puma concolor), ocelot (Leopardus pardalis), jaguaroundi (Herpailurus yaguarondi), margay (Leopardus wiedii) and jaguar (Panthera onca).

On the broad beaches of Llorona and Corcovado four species of marine turtles lay their eggs in relatively large numbers. In the sea area off Corcovado, dolphins, bull sharks (Carcharhinus leucas) and three species of whales, including the humpback (Megaptera novaeangliae), can often be seen.

Given its extraordinary biological diversity, Corcovado is currently an important center for research into moist tropical forest. This park, like the rest of the Peninsula, appears to have been an important center of settlement for pre-Hispanic peoples given the many archaeological sites discovered along almost all the paths. Corcovado is in the south-west of the Osa Peninsula. The office is in Puerto Jiménez and can be reached from Golfito along a partly asphalted road.

In the park many trails lead to interesting spots; there are also camping sites and picnic areas, a landing strip and biological station in Sirena.

El pequeño mono tití o mono ardilla es la especie de primate en mayor peligro de extinción de toda Centroamérica. Sus amenazadas poblaciones se encuentran protegidas en Costa Rica en los parques nacionales de Manuel Antonio y, sobre todo, en Corcovado.

The little squirrel monkey is the most threatened primate species in all Central America. In Costa Rica its threatened populations are protected in Manuel Antonio National Park and, especially, in Corcovado.

PARQUE NACIONAL PIEDRAS BLANCAS

ESTE PARQUE NACIONAL, situado en la península de Osa, sobresale por la biodiversidad que encierran sus masas forestales (abajo y derecha), uno de los últimos reductos del bosque lluvioso de bajura de la costa pacífica centroamericana.

THIS NATIONAL PARK on the Osa Peninsula is outstanding for the biodiversity of its forests (below and above), a few of the last strongholds of lowland rain forest on the Pacific coast of Central America.

LA MAYOR PARTE DE ESTE PARQUE está constituida por un bosque primario siempreverde, de alta a muy alta diversidad en especies de plantas y árboles grandes, con un dosel superior localizado a una altura media de 30 a 40 m, que crece sobre suelos arcillosos, bien drenados y de pendiente de moderada a escarpada. Junto con el Refugio de Golfito forma el extremo sureste del Arco Ecológico de Osa, que rodea el golfo Dulce y que se inicia en el Parque Nacional Corcovado.

La vegetación de Piedras Blancas, al igual que la de toda la península de Osa, ha sido considerada como uno de los más sobresalientes ejemplos mundiales en términos de biodiversidad. Constituye el último segmento extenso de bosque

PIEDRAS BLANCAS
NATIONAL PARK

MOST OF THIS PARK CONSISTS of primary evergreen forest with high to very high diversity in species of plants and large trees, and an upper canopy averaging 30 to 40 m in height, growing on clayey well drained soil on a moderate to steep slope. Located next to the Golfito Refuge, it forms the south-eastern end of the Osa Ecological Arc, which surrounds Dulce Gulf and starts in Corcovado National Park.

The vegetation in Piedras Blancas, like that of all the Osa Peninsula, is regarded as one of the most outstandingly biologically diverse in the world. It is the last extensive tract of lowland rainforest on the Pacific coast of Central America,

Son abundantes las aves de este parque nacional, desde el tucán pechigualdo a la paloma piquicorta, pasando por el colibrí variable (abajo).

Birds abound in this national park, from keel-billed toucan to short-billed pigeon or gray-tailed mountain-gem (below).

*L*A RIQUEZA DE INVERTEBRADOS *y en particular de lepidópteros del Parque Nacional Piedras Blancas es sorprendente, aunque todavía los estudios entomológicos se encuentran en sus primeras fases.*

*T*HE WEALTH OF INVERTEBRATES, *in particular lepidoptera, in Piedras Blancas National Park is surprising although entomological research is still in the early stages.*

lluvioso de bajura de la costa pacífica de Centroamérica, un ecosistema que tiene prioridad global en términos de conservación por el alto nivel de endemismo que posee, particularmente en plantas, aves e insectos. Una de sus características forestales es la abundancia de árboles de la familia de las Moráceas, con la presencia de unas 16 especies (higuerones, ojoches, guarumos y cauchos).

La mayor parte del parque se localiza sobre tres tipos de vegetación, que han sido denominados como Bosque de Esquinas, Bosque Alto de Esquinas y Bosque de la Fila Golfito. Estos bosques están constituidos por tres niveles: el dosel superior, el estrato medio y el sotobosque. En el dosel los árboles emergentes alcanzan de 40 a 50 m de altura, siendo las especies más comunes el nazareno *(Peltogyne purpurea)*, que suministra una de las maderas más preciosas del país, de bellísimo color púrpura; el

baco o lechoso *(Brosimum utile)*, un árbol medicinal cuyo látex es utilizado para combatir úlceras estomacales; el tamarindo *(Dialium guianense)*; la caobilla o cedro macho *(Carapa guianensis)*, cuyas semillas son alimento importante para las guatusas; el jabillo *(Hura crepitans)*, de cuyos frutos se alimentan las lapas rojas, y la palma *Iriartea deltoidea*, de hasta 30 m de altura y con raíces fúlcreas compactas.

En el estrato medio las especies típicas son las guabas *(Inga* spp.), los chapernos *(Lonchocarpus* spp.) y los gallinazos *(Schizolobium parahyba)*, con hojas que alcanzan hasta dos metros de largo. En el sotobosque, que es muy abierto, son abundantes las platanillas *(Heliconia* spp.), los sahinillos *(Dieffenbachia* spp.), las bijaguas *(Calathea* spp.) y las palmas real *(Atalea butyracea)*, *Welfia georgii* –de hasta 15 m de altura– y viscoyol *(Bactris* spp.).

La fauna ha sido poco estudiada. Algunos de los mamíferos más conspicuos son el mono congo *(Alouatta palliata)*, el mono carablanca *(Cebus capucinus)*, el mapachín *(Procyon lotor)*, el pizote *(Nasua narica)*, el saíno *(Pecari tajacu)*, el tepezcuintle *(Agouti paca)*, la danta *(Tapirus bairdii)*, la guatusa *(Dasyprocta punctata)*, el puma *(Puma concolor)* y el jaguar *(Pantera onca)* –ambos felinos en grave peligro de extinción.

Algunas de las aves fácilmente identificables son el busardo blanco *(Leucopternis albicollis)*, el tucán pechigualdo *(Ramphastos swainsonii)* y la paloma piquicorta *(Columba nigrirostris)*, que es aquí muy abundante. En el mar, frente a este parque nacional, existen parches de arrecifes coralinos y se pueden observar ballenas que llegan al golfo a reproducirse.

Este parque se localiza en la parte este del Golfo Dulce, no lejos de Golfito. Algunos caminos de tierra, que dan acceso a las propiedades en proceso de compra, permiten observar el bosque en todo su esplendor.

and this ecosystem has global priority in terms of conservation for the high level of endemic species it hosts, particularly plants, birds and insects. One of the characteristics of the forest is the large number of trees of the Moraceae family, with over 16 species (higuerones, ojoches, guarumos and cauchos).

Most of the park consists of three kinds of vegetation listed as thorn forest, tall thorn forest and 'Bosque de la Fila Golfito'. These forests consist of three levels: the upper canopy, the middle stratum and undergrowth. In the canopy the emerging trees may be up to 40 to 50 m high, the most common species being pittier (*Peltogyne purpurea*), which provides some of the country's most valuable wood, which is a lovely purple color; the Central American milk tree *(Brosimum utile)*, a medicinal tree whose latex is used to combat stomach ulcers; the tamarind *(Dialium guianense)*; crabwood *(Carapa guianensis)*, whose seeds are important in the diet of agoutis; the sandbox tree *(Hura crepitans)* on whose fruit red macaws feed, and the palm *Iriartea deltoidea*, up to 30 m in height and with compact stilt roots.

In the middle stratum, the typical species are *Inga* species, *Lonchocarpus* species and *Schizolobium parahyba*, with leaves up to 2 m long. In the undergrowth, which is very open, there is a large number of *Heliconia* species, dieffenbachias, zebra plants *(Calathea* spp.) and royal palm *(Atalea butyracea)*, as well as *Welfia georgii*, up to 15 m high and 'viscoyol' *(Bactris* spp.).

The wildlife has not been studied to any great extent. Some of the most conspicuous mammals are the mantled howler monkey *(Alouatta palliata)*, white-fronted capuchin *(Cebus capucinus)*, raccoon *(Procyon lotor)*, white-nosed coati *(Nasua narica)*, collared peccary *(Pecari tajacu)*, paca *(Agouti paca)*, Baird's tapir *(Tapirus bairdii)*, agouti *(Dasyprocta punctata)*, puma *(Puma concolor)* and jaguar *(Pantera onca)* – both species that are seriously threatened with extinction. Some of the easily identifiable birds are the white hawk *(Leucopternis albicollis)*, chestnut-mandibled toucan *(Ramphastos swainsonii)* and short-billed pigeon *(Columba nigrirostris)*, which occurs in large numbers. Out to sea from the national park, there are patches of coral reef, and it is sometimes possible to spot whales that come to the gulf to breed.

This park is located in the eastern part of Dulce Gulf, not far from Golfito. A few dirt roads leading to properties that are in the process of being purchased enable visitors to observe the forest in all its splendour.

BASTA ACERCARSE A LOS BOSQUES del parque para descubrir el desconocido mundo de los invertebrados. Arriba, una mariposa morfo y, a la izquierda, una oruga.

IT'S ENOUGH JUST TO PEEK INTO the park forest to discover the unknown world of the invertebrates. Above, a morpho butterfly. On the left, a caterpillar.

REFUGIO NACIONAL DE FAUNA SILVESTRE GOLFITO

Es un área con una alta pluviosidad –llueve hasta 5.000 mm por año– y una topografía irregular. El bosque es siempreverde, denso, de gran altura y está constituido por más de 400 especies de árboles y arbustos. El estrato emergente lo forman enormes árboles como el ajo *(Caryocar costaricense)*, el reseco *(Tachigali versicolor)*, el nazareno *(Peltogyne purpurea)*, el pilón *(Hyeronima alchorneoides)* y el vaco *(Brosimum utile)*. Una palma bastante común es la chonta *(Astrocaryum standleyanum)*. En el sotobosque son abundantes las heliconias o platanillas *(Heliconia spp.)*. Entre los mamíferos aquí presentes se encuentran el manigordo *(Leopardus pardalis)*, el pizote *(Nasua narica)*, el saíno *(Tayassu tajacu)*, la guatuza *(Dasyprocta punctata)*, la rata algodonera *(Sigmodon hispidus)* y el mapachín *(Procyon lotor)*. Este refugio tiene particular importancia para la conservación de las aguas que surten a la cercana ciudad de Golfito.

El refugio se encuentra al norte del puerto de Golfito. Su acceso se hace por vía aérea hasta Golfito, donde existe una pista de aterrizaje, o siguiendo la ruta San José-Golfito (339 km), por carretera pavimentada.

*J*UNTO A ESTAS LÍNEAS, *una vista general de los bosques siempreverdes del Refugio Nacional de Fauna Silvestre Golfito que tapizan su complicada orografía y que destacan por la presencia en ellos de más de cuatrocientas especies de árboles y arbustos. A la derecha, helecho arborescente en estos bosques.*

*A*LONGSIDE, AN OVERALL VIEW *of the evergreen forest carpeting the rugged terrain in Golfito National Wildlife Refuge, home to over four hundred species of trees and shrubs. Right, a tree fern in these forests.*

GOLFITO NATIONAL WILDLIFE REFUGE

It is an area with high rainfall (up to 5,000 mm per year) and irregular topography. The forest is evergreen, thick, very tall and made up of over 400 species of trees and bushes. The emergent layer consists of enormous trees like butternut *(Caryocar costaricense)*, 'plomo' tree *(Tachigali versicolor)*, purpleheart *(Peltogyne purpurea)*, bully tree *(Hyeronima alchorneoides)* and cow tree *(Brosimum utile)*. The black palm *(Astrocaryum standleyanum)* is fairly common. In the undergrowth, there are a great many heliconias *(Heliconia spp.)*.

Among the mammals found there are ocelot *(Leopardus pardalis)*, white-nosed coati *(Nasua narica)*, collared peccary *(Tayassu tajacu)*, agouti *(Dasyprocta punctata)*, hispid cotton rat *(Sigmodon hispidus)* and common raccoon *(Procyon lotor)*. This refuge is particularly important for the conservation of the waters that supply the nearby city of Golfito.

The refuge is north of the port of Golfito. Access is by air to Golfito landing strip or along the asphalted road connecting San José to Golfito (339 km).

RESERVA BIOLÓGICA ISLA DEL CAÑO

Está formada por un bloque de basaltos eocénicos de 50-60 millones de años de antigüedad, que se levantó a causa de la subducción o hundimiento de la placa de Cocos debajo de la placa del Caribe a lo largo de la Fosa Mesoamericana. La isla tiene una gran significación arqueológica ya que fue utilizada como cementerio y como asentamiento precolombino permanente. Todavía es posible observar restos de cerámica y algunas esferas de piedra hechas por los indígenas. La altiplanicie central, de unos 90 m de alto, está cubierta por un bosque siempreverde de gran altura, constituido básicamente por enormes árboles de vaco *(Brosimum utile)*, también conocido como árbol de la leche, a causa del látex blanco que exuda y que se puede beber. Aunque la fauna es escasa pueden observarse diversas aves como el águila pescadora *(Pandion haliaetus)* y el piquero pardo *(Sula leucogaster)*, además de ranas venenosas *(Dendrobates granuliferous)* y culebras boas *(Boa constrictor)*.

Los arrecifes de coral que rodean la isla crecen hasta una profundidad de 15 metros y están constituidos por *Pocillopora damicornis,* el más superficial, y por *Porites lobata, Pavona* sp. y *Pocillopora* sp. en las partes más profundas. El crecimiento de los corales es más rico en el lado este de la isla, sobre una plataforma de unos 200 metros de largo. También se encuentran aquí unas 12 especies de corales escleractinios que crecen a unos 15 metros de profundidad, y estrellas de mar.

Sobre rocas aisladas, a unos 20 metros de profundidad, crecen algas, además de una vigorosa fauna de octocorales –10 especies–, hidroides –muy urticantes–, esponjas y erizos de mar. En las aguas cercanas a la isla se observan con frecuencia diversas especies de delfines, orcas *(Orcinus orca)*, falsas orcas *(Pseudorca crassidens)*, varias especies de tortugas y tres especies de ballenas.

REFUGIO NACIONAL DE VIDA SILVESTRE RANCHO LA MERCED

Protege un bosque tropical denso siempreverde y una parte de la costa al norte de punta Uvita, en el Pacífico Sur, muy cerca del Parque Marino Ballena. Los árboles de fruta dorada *(Virola* spp.), hule *(Castilla* spp.) y laurel *(Cordia* spp.) son comunes en este bosque, al igual que son abundantes las palmas y las platanillas *(Heliconia* spp.) en el sotobosque. La carretera Costanera Sur pasa al lado de este refugio.

REFUGIO NACIONAL DE VIDA SILVESTRE PUNTA RÍO CLARO

Los bosques húmedos de este refugio constituyen un corredor biológico entre el Parque Nacional Corcovado y el Humedal Nacional Terraba-Sierpe. Algunos de los árboles más sobresalientes de esta área son el espavel *(Anacardium excelsum)*, el guayabón *(Terminalia oblonga)*, el ajo *(Caryocar costaricense)* y el lechoso *(Brosimum utile)*. Las lapas rojas o guacamayos macaos

La isla del Caño, junto a estas líneas, que posee un denso bosque siempreverde, es un importante sitio arqueológico en el que existe un antiguo cementerio precolombino. A la derecha, una serpiente lora y esferas de piedra indígenas en la isla.

Isla del Caño (alongside), covered in thick evergreen forest, is an important archaeological site containing an ancient pre-Columbian graveyard. Right, a palm pit viper or lora *snake, and native stone spheres in the island.*

ISLA DEL CAÑO BIOLOGICAL RESERVE

It consists of a block of Eocene basalts, 50-60 million years old, that rose up due to subduction or the collapse of the Cocos Plate under the Caribbean Plate along the Central American Trench. The island has great archaeological significance as it was used as a cemetery and a permanent pre-Columbian settlement. You can still see pottery remains and some almost perfectly round stone spheres made by the Indians. The central 90 m-high plateau is covered in very tall evergreen forest, basically consisting of enormous cow trees *(Brosimum utile)*, also known as the milk tree because of the white latex it exudes and which can be drunk. Although animals are scarce, several birds, such as the osprey *(Pandion haliaetus)* and the brown booby *(Sula leucogaster)*, as well as poisonous frogs *(Dendrobates granuliferous)* and boas *(Boa constrictor)* can be seen.

The coral reefs can grow up to 15 metres and consist of *Pocillopora damicornis* on the uppermost parts, and of *Porites lobata*, *Pavona* sp. and *Pocillopora* sp. in the deeper parts. Coral growth is richer on the eastern side of the island on a platform about 200 metres long. There are also 12 species of scleractinian coral that grow to 15 metres deep, as well as sea stars. On isolated rocks, at a depth of about 20 metres, there are algae as well as robust octocoral fauna – 10 species –, hydroids – with severe stings –, sponges and sea urchins.

In nearby waters, dolphins, killer whales *(Orcinus orca)*, falsas orcas *(Pseudorca crassidens)*, several species of turtle and three species of whale can be seen.

RANCHO LA MERCED NATIONAL WILDLIFE REFUGE

It protects a thick evergreen tropical forest and part of the coast to the north of Punta Uvita on the southern Pacific very close to Marino Ballena park. Banak *(Virola* spp.), hule *(Castilla* spp.) and laurel *(Cordia* spp.) are common in the forest, and numerous palms and 'platanillas' *(Heliconia* spp.) are widespread in the undergrowth. The Costanera Sur road runs alongside the refuge.

PUNTA RÍO CLARO NATIONAL WILDLIFE REFUGE

The moists forests of this refuge form a biological corridor between Corcovado National Park and Terraba-Sierpe National Wetland. The most outstanding trees in this area include the 'espavel' *(Anacardium excelsum)*, 'guayabon' *(Terminalia oblonga)*, 'ajo' *(Caryocar costaricense)*, and South American cow tree *(Brosimum utile)*. Red macaws *(Ara macao)* are common in this refuge, as are the four species of monkeys found in Costa Rica; namely, mantled howler monkey *(Alouatta palliata)*, black-handed spider monkey *(Ateles geoffroyi)*, white-throated

(Ara macao) son comunes en este refugio, al igual que las cuatro especies de monos que hay en el país: congo *(Alouatta palliata)*, colorado *(Ateles geoffroyi)*, carablanca *(Cebus capucinus)* y tití *(Saimiri oerstedii)* –este último en peligro de extinción.

REFUGIO NACIONAL DE VIDA SILVESTRE PRECIOSA PLATANARES

Protege una porción de bosque denso siempreverde con la presencia de manglares. Un árbol muy alto que vive aquí es el guácimo colorado *(Luehea seemannii)*. Las dos especies dominantes de mangle son el colorado *(Rhizophora* spp.) y el piñuela *(Pelliciera rhizophorae)*. El área es accesible desde Puerto Jiménez por una carretera de tierra.

REFUGIO NACIONAL DE VIDA SILVESTRE CARATE

Protege un bosque denso siempreverde y un área de playa en la península de Osa, al sureste del Parque Corcovado. Este tipo de bosque es alto, bien drenado y muy rico en bejucos y epífitas. En el sotobosque abundan las platanillas *(Heliconia* spp.) y las palmas. Un camino de tierra que bordea la península llega hasta este refugio.

REFUGIO NACIONAL DE VIDA SILVESTRE RÍO ORO

Río Oro protege una porción marina y la playa de anidación de tortugas de mar más importante de la península de Osa. Cuatro especies de tortugas anidan en los 9 km de playa que comprende el refugio: la lora *(Lepidochelys olivacea)*, la negra *(Chelonia agassizi)*, la baula *(Dermochelys coriacea)* –muy amenazada de extinción en todo el Pacífico Oriental– y la carey *(Eretmochelys imbricata)* –tambien muy amenazada a nivel global. En su parte central el refugio se extiende para cubrir un manglar de unas 60 ha de superficie. Un camino de tierra que bordea la península llega hasta este refugio.

REFUGIO NACIONAL DE VIDA SILVESTRE OSA

Forma parte del proyecto del corredor biológico Parque Nacional Corcovado-Reserva Forestal Golfo Dulce. Los bosques muy lluviosos de este refugio incluyen especies de árboles grandes como el cachimbo hediondo *(Couratari guianensis)*, el higuerón *(Ficus* spp.) y el zapote *(Manilkara staminodella)*. Las palmas son aquí muy abundantes, y se encuentran las cuatro especies de monos del país.

REFUGIO NACIONAL DE VIDA SILVESTRE QUILLOTRO

Protege la flora y la fauna de la Finca Braddy, en el distrito de Sierpe, cantón de Osa. El área declarada como refugio conserva sus bosques muy húmedos primarios, en los que se observan árboles grandes de guayabón *(Terminalia oblonga)*, cedro maría *(Calophyllum brasiliense)*, guapinol *(Hymenaea courbaril)* y ajo *(Caryocar costaricense)*. Las lapas rojas *(Ara macao)* son las aves más llamativas de estos bosques, en los que abundan las ranas venenosas *(Dendrobates pumilio, D. granuliferus* y *Phyllobates vittatus)*.

DE IZQUIERDA A DERECHA, el acrobático mono araña, mariposas absorbiendo las sales minerales del terreno, una enredadera, y aves acuáticas características de los humedales de la península de Osa.

LEFT TO RIGHT, the acrobatic spider monkey, butterflies absorbing mineral salts from the ground, a climbing plant, and aquatic birds typical of wetlands on the Osa Peninsula.

capuchin *(Cebus capucinus)* and Central American squirrel monkey *(Saimiri oerstedii)*, the latter being an endangered species.

PRECIOSA PLATANARES NATIONAL WILDLIFE REFUGE

It protects a portion of the thick evergreen forest containing mangrove swamps. A very tall tree here is the 'guácimo colorado' *(Luehea seemannii)*. The two predominant species of mangrove are red *(Rhizophora spp.)* and tea mangrove *(Pelliciera rhizophorae)*. The area is accessible from Puerto Jiménez along a dirt road.

CARATE NATIONAL WILDLIFE REFUGE

This refuge protects a thick evergreen forest and a beach on the Osa Peninsula to the south-east of Corcovado Park. This kind of forest is tall, well-drained and very rich in vines and epiphytes. In the undergrowth there are large numbers of 'platanillas' *(Heliconia spp.)* and palms. A dirt road bordering the peninsula leads to the refuge.

RÍO ORO NATIONAL WILDLIFE REFUGE

Río Oro protects a part of the sea and the most important beach marine turtle nesting site on the Osa Peninsula. Four species of turtle nest along 9 km of beach in the refuge: olive ridley *(Lepidochelys olivacea)*, black or East Pacific green *(Chelonia agassizi)*, loggerhead

(Dermochelys coriacea) – very threatened throughout the Eastern Pacific –; and the hawksbill *(Eretmochelys imbricata)* – also highly threatened worldwide. The middle part of the refuge extends to include a 60-hectare mangrove swamp. A dirt road skirting the peninsula leads to the refuge.

OSA NATIONAL WILDLIFE REFUGE

This is part of the project for a biological corridor Corcovado National Park-Golfo Dulce Forest Reserve. The very humid forest in this refuge includes species of large trees such as 'cachimbo hediondo' *(Couratari guianensis)*, fig *(Ficus spp.)* and 'zapote' *(Manilkara staminodella)*. There are lots of palms, and four of the country's monkey species can be found.

QUILLOTRO NATIONAL WILDLIFE REFUGE

It protects the flora and fauna of Finca Braddy (estate) in the Sierpe district of the Osa region. The refuge conserves very wet primary forest with well-grown specimens of guayabon *(Terminalia oblonga)*, 'cedro maría' *(Calophyllum brasiliense)*, 'guapinol' *(Hymenaea courbaril)* and 'ajo' *(Caryocar costaricense)*. Scarlet macaws *(Ara macao)* are the most striking birds in the forest, which also hosts venemous frogs *(Dendrobates pumilio, D. granuliferus* and *Phyllobates vittatus)*.

RESERVA FORESTAL GOLFO DULCE

Actualmente los bosques de esta reserva se encuentran fragmentados a causa de una sobreexplotación maderera; las especies de árboles más abundantes son el fruta dorada *(Virola koschnyi)*, el nazareno *(Peltogyne purpurea)* –una especie con madera de bellísimo color morado– y el camíbar *(Copaifera camibar)*, cuya savia conocida como aceite de camíbar es utilizada en medicina popular para sanar heridas. Esta área constituye un corredor biológico que comunica el Parque Nacional Corcovado con el Parque Nacional Piedras Blancas. La carretera Chacarita-Puerto Jiménez atraviesa una gran parte de esta reserva.

HUMEDAL NACIONAL TÉRRABA-SIERPE

Constituye el delta de los ríos Terraba y Sierpe y es el manglar más extenso del país, con una superficie de más de 22.000 ha. Las especies de mangle más abundantes son el colorado gigante *(Rhizophora racemosa)* y el colorado *(R. mangle)*, pero también se encuentran el piñuela *(Pelliciera rhizophorae)*, el salado *(Avicennia germinans)*, el negro *(A. bicolor)*, el botoncillo *(Conocarpus erectus)* y el blanco *(Laguncularia racemosa)*. Un molusco o concha muy abundante aquí y que se aprovecha extensamente es la piangua *(Anadara tuberculosa)*, y lo mismo sucede con las sardinas *(Melaniris sp.)*. En este manglar existe una intrincada red de canales e isletas de gran belleza escénica que permiten, desde un bote, observar la gran diversidad de aves, particularmente pelícanos alcatraces *(Pelecanus occidentalis)*, cormoranes *(Phalacrocorax brasilianus)*, garzas y garcetas. Un problema que afronta este humedal es la gran descarga de sedimentos del río Térraba, debido al mal manejo de su cuenca. Este humedal nacional se encuentra al norte de la península de Osa; para visitarlo se pueden contratar botes en Sierpe. Este manglar está incorporado a la Lista de Humedales de Importancia Internacional de Ramsar.

HUMEDAL LACUSTRINO PEJEPERRO-PEJEPERRITO

Consiste en dos lagunas costeras permanentes, separadas parcialmente del mar por franjas de arena; son de gran belleza escénica y contienen abundancia de peces, aunque han sufrido alteraciones. La laguna Pejeperro es más bien un estero que tiene un manglar y un bosque inundado en su parte norte. Pejeperrito es la única laguna de agua salada existente en el país, que sirve de hábitat al cocodrilo *(Crocodilus acutus)*, al caimán *(Caiman crocodilus)* y a varias especies de garzas y de tortugas de río. Ambas lagunas se encuentran a 38 km de Puerto Jiménez, por carretera de tierra.

De izquierda a derecha, una tortuga lora en el Refugio Nacional de Vida Silvestre Río Oro, helechos arborescentes característicos de los bosques lluviosos, y detalle de una heliconia, planta muy abundante en estas masas forestales.

From left to right, an Atlantic ridley turtle in Río Oro National Wildlife Refuge; tree ferns are a feature of rain forest; and a close up of a heliconia, a very common plant in these forests.

GOLFO DULCE FOREST RESERVE

Nowadays, the forests in this reserve are fragmented due to overexplotaition for timber. The most numerous tree species are banak *(Virola koschnyi)*, purpleheart *(Peltogyne purpurea)* – a species with extremely beautiful purple wood – and camibar *(Copaifera camibar)*, the sap of which is known as camibar oil and is used in popular medicine to cure wounds. This area is a biological corridor connecting Corcovado National Park with Piedras Blancas National Park. The Chacarita to Puerto Jiménez highway crosses a large part of this reserve.

TERRABA-SIERPE
NATIONAL WETLAND

This area comprises the delta of the rivers Terraba and Sierpe and is the most extensive mangrove swamp in the country, with a surface area of over 22,000 ha. The most abundant mangrove species are the red *(Rhizophora racemosa)* and *R. mangle* but there is also tea mangrove *(Pelliciera rhizophorae)*, 'salado' mangrove *(Avicennia germinans)*, black mangrove *(A. bicolor)*, button mangrove *(Conocarpus erectus)* and white mangrove *(Laguncularia racemosa)*. A very common and widely used mollusk here is the black clam *(Anadara tuberculosa)*; the same is true

of sardines *(Melaniris sp.)*. In this mangrove swamp there is an intricate network of very beautiful channels and islets, and from a boat it is possible to see a great variety of birds, especially pelicans *(Pelecanus occidentalis)*, olivaceous cormorant *(Phalacrocorax brasilianus)*, herons and egrets. One problem facing this wetland is the great discharge of sediments of the River Térraba due to the basin being bad management. This national wetland is in the north of the Osa Peninsula. To visit it, boats can be hired in Sierpe. This mangrove swamp is on the Ramsar List of Wetlands of International Importance.

PEJEPERRO-PEJEPERRITO
LACUSTRINE WETLAND

It consists of two permanent coastal lagoons partially separated from the sea by strips of sand. They are very beautiful and contain many fish, despite having undergone some alterations. Pejeperro Lagoon is really a lagoon with a mangrove swamp, and a flooded forest in the northern part. Pejeperrito is the only saltwater lagoon in the country, habitat for crocodiles *(Crocodilus acutus)*, caymans *(Caiman crocodilus)* and several species of herons and river turtles. They are 38 km from Puerto Jiménez along a dirt road.

PACÍFICO CENTRAL

Dos importantes parques nacionales se localizan en esta área de conservación. Se trata de los parques nacionales de Manuel Antonio y Carara. Del primero se contempla su litoral y, del segundo, el paso del río Tárcoles por su territorio. Abajo, un playero aliblanco.

Two important national parks are located within this conservation area – Manuel Antonio and Carara. One photo illustrates the coastline of the former, while the other shows the River Tárcoles on its way through the latter. Below, a willet.

En el Parque Nacional Carara se concentra un gran número de aves acuáticas, como las espátulas rosadas y los suiriríes piquirrojos. Abajo, una arácea del parque.

Carara National Park hosts large numbers of aquatic birds such as roseate spoonbill and black-bellied whistling ducks. Below, a park aracea.

PARQUE NACIONAL CARARA

OR TRATARSE DE UNA ZONA DE TRANSICIÓN entre una región más seca al norte, y otra más húmeda al sur, Carara presenta una amplia diversidad florística con más de 1.400 especies de plantas y con predominio de especies siempreverdes. Cruzada por diversos arroyos, en su mayoría de aguas permanentes, el parque se presenta durante la estación seca como un oasis de frescura y de verdor.

Al noreste del parque, las inundaciones estacionales del río Grande de Tárcoles forman numerosas ciénagas muy ricas en aves zancudas y vadeadoras, así como en anfibios y reptiles. Una laguna en forma de U, de unos 600 metros de longitud, 40 metros de ancho y 2 metros de profundidad, ocupa un meandro abandonado por este río y es un sitio obligado de visita. Esta laguna se encuentra prácticamente cubierta de choreja o lirio de agua (*Eichhornia crassipes*) y de otras plantas acuáticas flotantes. En este ambiente son abundantes diversas especies de aves acuáticas como las espatulas rosadas (*Ajaia ajaja*), los patos agu-

ja (*Anhinga anhinga*) y las jacanas centroamericanas (*Jacana spinosa*), así como de anfibios y de reptiles, como los cocodrilos (*Crocodylus acutus*). Estos impresionantes animales pueden alcanzar más de cuatro metros de largo y su población en todo el parque se estima que es la más alta del país; son también muy abundantes en el río Grande de Tárcoles, donde constituyen un gran atractivo para los turistas.

Los bosques son tanto primarios como secundarios. En el bosque húmedo semideciduo en equilibrio la mayoría de las especies son siempreverdes y alcanzan hasta 40 m de alto; algunas de los árboles presentes que proceden del Pacífico Sur son el amarillón (*Terminalia amazonia*), el surá (*T. lucida*) y el hule (*Castilla elastica*); y aquellos que provienen del bosque seco incluyen al espavel (*Anacardium excelsum*), ojoche (*Brosimum alicastrum*) y al ron-ron (*Astronium graveolens*). Al oeste de Lomas Pizote existe una asociación vegetal con dominancia de gallinazos (*Schizolobium parahyba*). En el sotobosque es abundante el cafecillo (*Erythrochiton gymnanthus*), un arbusto del área del Pacífico Central del país. Muchos de los árboles presentan gambas o contrafuertes. Los bosques secundarios se localizan sobre los terrenos que se dedicaron antiguamente a actividades agropecuarias. Carara constituye el límite de distribución más septentrional para varias especies de árboles como el nazareno (*Peltogyne purpurea*), el ajillo (*Caryocar costaricense*) y el vaco (*Brosimum utile*) –que es muy numeroso.

Además de la abundancia de especies acuáticas concentradas en la laguna y las ciénagas, existe una variada fauna

Carara
National Park

As it is a transition zone between a drier region to the north and a wetter one to the south, Carara presents a wide diversity of plant life, with over 1,400 plant species and a predominance of evergreen species. Crossed by diverse streams that are mostly permanent, in the dry season the park is an oasis of freshness and greenery.

Northeast of the park the seasonal flooding of the Río Grande de Tárcoles forms numerous swamps that are very rich in wading birds, as well as amphibians and reptiles. A U-shaped lake some 600 m long, 40 m wide and 2 m deep occupies an oxbow lake left by this river and should not be missed on a visit. The lake is almost totally covered in water hyacinths *(Eichhornia crassipes)* and other floating aquatic plants. There are large numbers of several species of amphibians and reptiles, such as crocodiles *(Crocodylus acutus)*, which may reach 4 m long and whose population is estimated at over 2,000 individuals (the highest in the country) and water birds like roseate spoonbills *(Ajaia ajaja)*, anhingas *(Anhinga anhinga)* and northern jacanas *(Jacana spinosa)*, as well as amphibians and reptiles, e.g. crocodiles *(Crocodylus acutus)*. These impressive animals can grow up to four metres long. The park population is estimated to be the largest in the country; they are also common in the River Grande de Tárcoles, where they are a great tourist attraction.

There is primary and secondary forest. In the moist semi-deciduous forest in equilibrium most species are evergreen and grow up to 40 m high; the trees of southern Pacific ori-gin include 'amarillón' *(Terminalia amazonia)*, 'surá' *(T. lucida)* and 'hule' *(Castilla elastica)*; and those belonging to dry forest include 'espavel' *(Anacardium excelsum)*, 'ojoche' *(Brosimum alicastrum)* and 'ron-ron' *(Astronium graveolens)*. West of the Pizote hills there is a plant association with a predominance of 'gallinazos' *(Schizolobium parahyba)*.

In the undergrowth there is abundant 'cafecillo' *(Erythrochiton gymnanthus)*, a shrub from the Central Pacific part of the country. Many of the trees have buttresses. The secondary forests grow on land that was previously used for arable and livestock agriculture. Carara represents the most northerly distribution limit of several tree species such as purpleheart *(Peltogyne purpurea)*, butternut tree *(Caryocar costaricense)* and the cow tree *(Brosimum utile)*, which is very common.

Además de una abundante fauna acuática concentrada en la laguna y en las ciénagas adyacentes, en Carara vive un gran número de especies de vertebrados. Entre los reptiles sobresale por su abundancia el garrobo.

Besides the abundant aquatic fauna in the lagoon and adjacent swamps, Carara can boast numerous vertebrate species. The spiny-tailed iguana is a very common reptile species.

entre la que se encuentra el perezoso de dos dedos *(Choloepus hoffmanni)*, la lapa roja *(Ara macao)*, prácticamente desaparecida del resto del Pacífico Seco, que es uno de los grandes atractivos de este parque, y una especie muy bella de mariposa, la colipato verde *(Urania fulgens)*, que emigra localmente cada varios años. En Lomas Entierro se excavó un cementerio indígena y en el resto del parque se han ubicado otros 14 sitios arqueológicos.

Carara se localiza en la llanura del Pacífico Central. A la Administración, que se encuentra 2 km al sur del puente sobre el río Grande de Tárcoles, se llega desde San José vía Orotina-Costanera Sur (91 km), por carretera pavimentada. En este parque existen senderos que conducen a sitios de interés biológico y arqueológico y hay un centro de visitantes y un área para almorzar.

La concentración de suiríríes (arriba) en las zonas húmedas de este parque nacional es muy notable. A la derecha, un ejemplar de macao o lapa roja, especie amenazada de extinción que cuenta con una población estable en esta área protegida.

Large numbers of whistling ducks (above) congregate in the wetlands of this national park. Right, this protected area can boast a stable population of scarlet macaw, a threatened species.

Besides the abundant aquatic fauna in the lagoon and the swamps, there is varied animal life, including the rare two-toed sloth *(Choloepus hoffmanni)* and the uncommon scarlet macaw *(Ara macao),* which has practically disappeared from the rest of the Dry Pacific and is a great attraction in this park. There is also the extremely lovely butterfly the urania swallotail moth *(Urania fulgens),* which emigrates locally every few years. In Lomas Entierro an Indigenous cemetery was excavated, and in the rest of the park a further 14 sites have been located.

Carara is situated on the Central Pacific plain. Access to the offices 2 km south of the bridge over the Río Grande de Tárcoles is from San José via Orotina and Costanera Sur (91 km) along an asphalted road.

In this park there are trails leading to sites of biological and archaeological interest, a visitor centre and picnic area.

En el Parque Nacional Carara, una laguna en forma de U de dos metros de profundidad y una longitud de unos 600 metros (abajo) ocupa un extenso meandro abandonado del río Grande de Tárcoles. A la izquierda, uno de los árboles gigantes del bosque de Carara.

In Carara National Park a U-shaped oxbow lake two meters deep and about 600 meters long (below) covers an extensive old meander of the River Grande de Tárcoles. Left, one of the giant trees of Carara's forests.

Los cocodrilos, que pueden alcanzar más de cuatro metros de longitud, tienen en el Parque Nacional Carara la población con mayor número de ejemplares de Costa Rica. A la derecha, una vista general de esta área protegida.

Costa Rica's largest population of crocodiles, which may grow to over four meters long, is found in Carara National Park. On the right, a general view of this protected area.

Parque Nacional
Manuel Antonio

En el área protegida los bandos de monos carablanca son muy abundantes. Se han acostumbrado a los visitantes y no dudan en acercarse a ellos para intentar arrebatarles los restos de comida.

Groups of white-throated capuchin monkeys are very common in the protected area. Being used to visitors, they try to sneak up and snatch food.

Es una de las áreas de mayor belleza escénica del país. En este parque se distinguen cuatro unidades geomorfológicas de gran interés: el primero es el tómbolo de Punta Catedral, la unión que forma la arena entre la punta y tierra firme, debido a la sedimentación que, detrás de ella, provoca la difracción de las olas al chocar con el saliente; aquí se encuentran las playas Es-

padilla Sur y Manuel Antonio, de arenas blancas, pendientes suaves y aguas claras con escaso oleaje y consideradas como las mejores del país. La segunda unidad es el hoyo soplador de Puerto Escondido, que se puede apreciar cuando está subiendo la marea. La tercera es la Punta Serrucho, formidable acantilado de superficie muy irregular que recuerda a un serrucho. La cuarta es

MANUEL ANTONIO
NATIONAL PARK

THIS IS ONE OF THE MOST BEAUTIFUL areas in the country. In this park, four very interesting and different geomorphologic units.

The first is the tombolo of Punta Catedral, in other words, the sand between the point and the mainland formed by sedimentation which defracts waves as they break against the point; the beaches, known as Espadilla Sur Beach and Manuel Antonio Beach, have white sand, gentle slopes and clear water with little wave action. They are regarded as among the best in the country. The second unit is the Puerto Escondido blowhole, which is visible when the tide is rising. The third is Serrucho Point, an awesome cliff

Estas rocas erosionadas por la fuerza de las olas marinas marcan el límite occidental de la recogida playa de Manuel Antonio.

These rocks, eroded by the force of the waves, mark the western boundary of Manuel Antonio Beach .

Las playas Espadilla Sur (arriba) y Manuel Antonio (abajo) rodean el tómbolo de Punta Catedral. Arriba, un pizote, mamífero muy común en este parque nacional.

The beaches of Espadilla Sur (above) and Manuel Antonio (below) around the spit at Punta Catedral. Above, a coati, a very common mammal in this national park.

En esta vista aérea se observa, en primer plano, Punta Catedral, unida a tierra firme por un tómbolo. Detrás, la playa de Manuel Antonio, conocida también como Playa Blanca y, al fondo, la playa Espadilla Sur.

In the foreground of this aerial view is Punta Catedral, linked to the mainland by a tombolo. Behind, Manuel Antonio Beach, also known as Playa Blanca and, in the background, Espadilla Sur Beach.

la trampa submarina para tortugas, de origen precolombino, localizada en el extremo oeste de la playa Manuel Antonio. El bosque se extiende hasta el borde de las tres playas del parque, lo que les da un gran atractivo. Frente al parque se observan varias islas rocosas y de escasa vegetación –excepto Isla Verde–, verdaderos refugios de aves marinas que forman parte de esta área protegida.

Los principales hábitats del sitio son el bosque primario, que alberga árboles como el guapinol negro *(Cynometra hemitomophylla)*, especie maderable endémica de Costa Rica y amena-zada de extinción, y el maría *(Calophyllum brasiliense)*; el bosque secundario, con especies como la balsa *(Ochroma pyramidale)* y el guácimo *(Guazuma ulmifolia)*; el manglar, y las lagunas herbáceas y las de agua libre, que cubren pequeñas áreas en el interior. En la playa crecen árboles como el venenoso manzanillo *(Hippomane mancinella)* y el cocotero *(Cocos nucifera)*. En total, en el parque se han identificado 350 especies de plantas vasculares.

La fauna es variada; se han observado 109 especies de mamíferos y 184 de aves. Un mamífero de gran interés por su

with a very uneven surface reminiscent of a saw. The fourth is the underwater turtle trap of pre-Columbian origin located at the western end of Manuel Antonio Beach. The forest grows down to the very edge of the park's three beaches, adding to their allure. Off the park there are several rocky islands with sparse vegetation – except Isla Verde –, veritable refuges for seabirds.

The main habitats in the park are: primary forest containing trees like the black locust *(Cynometra hemitomophylla)*, a commercial species endemic to Costa Rica and threatened with extinction, and the Santa María *(Calophyllum brasiliense)*; secondary forest with species such as the balsa *(Ochroma pyramidale)* and the bastard cedar *(Guazuma ulmifolia)*; mangrove swamp and herbaceous lagoons and small lagoons in the interior. On the beach, there are trees like manchineel *(Hippomane mancinella)* and the coconut palm *(Cocos nucifera)*. In total, 350 species of vascular plants have been identified in the park.

The wildlife is varied, with 109 mammal species and 184 bird species having been recorded. One mammal that is very interesting for its small distribution range and the

En el litoral del Parque Nacional Manuel Antonio se entremezclan las bellas playas de arena con acantilados de superficie irregular batidos por el oleaje del mar, rodeados de escollos y de cuevas marinas.

Along the coastline of Manuel Antonio National Park there are lovely sandy beaches intermingled with unevenly shaped cliffs beaten by the waves, studded with reefs and caves.

deambulando por las áreas para almorzar. Algunas de las aves presentes son el pelícano alcatraz *(Pelecanus occidentalis)*, el gavilán pescador *(Busarellus nigricollis)* y el arasarí piquinaranja *(Pteroglossus frantzii)*. Desde las playas es fácil observar garrobos *(Ctenosaura similis)* y cherepos *(Basiliscus* sp.).

Manuel Antonio se encuentra en la llanura del Pacífico Central. La Administración se localiza 7 km al sur de Quepos, por carretera pavimentada. En el parque existen senderos que conducen a sitios de interés y a playas aisladas, y hay áreas para almorzar.

La guatusa o agutí (arriba) es un mamífero de costumbres diurnas, por lo que resulta relativamente sencillo encontrarse con él dentro del área protegida. A la derecha, uno de los senderos del Parque Nacional Manuel Antonio.

As a diurnal mammal, the agouti (above) is relatively easy to spot in the protected area. Right, a path in Manuel Antonio National Park.

reducido rango de distribución y que está amenazado de extinción es el bello y gracioso mono ardilla *(Saimiri oerstedii citrinellus)*, endémico de Costa Rica. Con frecuencia se pueden observar otros mamíferos como los perezosos de dos dedos *(Choloepus hoffmani)* y de tres dedos *(Bradypus variegatus)*, el mapachín cangrejero *(Procyon cancrivorus)*, la ardilla roja *(Sciurus granatensis)* y el mono carablanca *(Cebus capucinus)*, frecuentemente

fact that it is threatened with extinction is the delightful and amusing squirrel monkey *(Saimiri oerstedii citrinellus),* endemic to Costa Rica.

Other animals like the sloths *Choloepus hoffmani* and *Bradypus variegatus* can often be seen. Crab-eating raccoons *(Procyon cancrivorus),* tree squirrels *(Sciurus granatensis)* and white-faced monkeys *(Cebus capucinus)* often appear in the picnic areas. Some of the birds found there are brown pelican *(Pelecanus occidentalis),* black-collared hawk *(Busarellus*

nigricollis) and fiery-billed aracari *(Pteroglossus frantzii).* From the beaches it is easy to see ctenosaurs *(Ctenosaura similis)* and basilisks *(Basiliscus* sp.).

Manuel Antonio National Park is located on the Central Pacific plain. The offices are 7 km south of Quepos on an asphalted road. Several trails lead to interesting spots and isolated beaches. There are also picnic areas.

EL ÁGUILA PESCADORA es uno de los predadores que habitualmente se encuentra en el litoral pacífico de este parque nacional.

THE OSPREY IS A COMMON *predator along the Pacific coast of this national park.*

171

PARQUE NACIONAL LA CANGREJA

EL SENDERO PLINIA, que recorre la parte inferior del Parque Nacional La Cangreja –menos escarpada que la superior– cruza la Quebrada Grande en la que se forman numerosas cascadas.

THE PLINIA TRAIL that runs along the lower part of La Cangreja National Park (less steep than the upper part) crosses La Quebrada Grande where it forms many waterfalls.

"LA CANGREJA ES UNA MONTAÑA SINIESTRA que domina mi finca. La forma de la cumbre rocosa recuerda vagamente el dibujo de un cangrejo gigantesco; de ahí su nombre". Así se expresó sobre este cerro el francés Georges Vidal, allá por 1926, en su libro *Mi Mujer y Mi Monte.*

El cerro La Cangreja es bastante escarpado; al pie de su cumbre pelada de basalto que alcanza los 1.305 m de altura, se extiende el bosque primario intervenido hasta en un 65% de su extensión. Este bosque, después de varios estudios científicos ha resultado ser, con 148 especies de árboles, uno de los de mayor número de especies arbóreas por hectárea en todo el país, sólo superado por la península de Osa. Algunos de los árboles que alcanzan mayor altura son el jicarillo (*Lecythis mesophylla*), una especie muy escasa con frutos en forma de olla; el nazareno (*Peltogyne purpurea*), de madera color púrpura; el cedro maría (*Calophyllum longifolium*), con savia verde amarillenta; el higuerón (*Ficus obtusifolia*), con savia blanca; el cerillo (*Symphonia globulifera*), que presenta raíces fúlcreas producidas en la base del tronco; la ceiba (*Ceiba pentandra*), que alcanza hasta 60 m de altura, y el cara de tigre (*Aspidosperma myristicifolium*), con atractivo tronco acanalado-entrelazado. El mayo (*Vochysia megalophylla*), árbol de mediano tamaño y de flores amarillas, es una de las especies más abundantes de este bosque.

En el sotobosque son comunes la palma *Asterogyne martiana*, que se usa para techar ranchos; la zarzaparrilla (*Smilax* spp.), cuyas raíces se utilizan en refrescos y medicamentos naturales; las doradillas (*Selaginella* spp.), con bellas hojas semejantes a un encaje; el helecho macho (*Pteridium* spp.), que cubre amplias superficies en zonas semiabiertas, y varias especies de helechos arborescentes, incluyendo *Alsophila cuspidata*.

Pero La Cangreja es también notable por su alto grado de endemismo. Se han censado más de 30 especies de plantas endémicas, algunas de las cuales sólo se encuentran en este lugar en forma natural, tal es el caso de *Plinia puriscalensis*, árbol de pequeño tamaño que produce los frutos en el tronco y cuyo nombre fue dedicado al cantón de Puriscal; y *Ayenia mastatalensis*,

LA CANGREJA NATIONAL PARK

'LA CANGREJA IS A SINISTER MOUNTAIN overlooking my ranch. The shape of the rocky peak is vaguely reminiscent of the outline of a giant crab; hence its name'. Frenchman Georges Vidal described it in these terms around 1926 in his book *My Wife and My Mountain*.

La Cangreja hill is quite steep. Primary forest (65% disturbed) extends out from the foot of its bare 1,305m-high basalt peak. Following several scientific studies it has been shown to host 148 tree species, thus boasting one of the largest number of tree species per hectare of any place in the country, only exceeded by the Osa Peninsula. The taller trees include the 'jicarillo' *(Lecythis mesophylla)*, a very scarce species with pot-shaped fruits, the 'nazareno' or purpleheart *(Peltogyne purpurea)*, with purple-colored wood, 'Santa María' *(Calophyllum longifolium)*, with yellowish green sap, the fig *Ficus obtusifolia*, with white sap, the manni or chewstick *(Symphonia globulifera)*, which has prop-like roots emerging from the base of the trunk, the silk-cotton tree *(Ceiba pentandra)*, which grows to 60 m high, and the 'cara de tigre' *(Aspidosperma myristicifolium)*, with an eye-catching furrowed and interlaced trunk. The 'mayo' *(Vochysia megalophylla)*, a medium-sized tree with yellow flowers, is one of the most common species in this forest.

In the undergrowth, the following are common: the palm *Asterogyne martiana*, used for roofing ranches, sasaparilla *(Smilax* sp.), whose roots are used in soft drinks and

natural medicines, 'doradillas' *(Selaginella* spp.), with lovely lace-like leaves, ferns *(Pteridium* spp.), which cover broad areas of partially open land, and several species of tree ferns, including *Alsophila cuspidata*. But La Cangreja is also noteworthy for its high level of endemicity. Over 30 endemic plant species have been recorded. In some cases it is the only place where some of these plants occur naturally. *Plinia puriscalensis,* for example, is a small tree that produces fruits on its trunk and whose specific name is derived from the Puriscal canton. *Ayenia mastatalensis,* a 1- to 2-meter-high shrub, is named after Mastatal, the nearest village

Debido a las pequeñas dimensiones de esta área protegida, que en cierta manera la convierten en una isla ecológica, la fauna no es muy variada. Entre los mamíferos se localiza el armadillo.

To a certain extent the small size of this protected area, makes it an ecological island and means that the wildlife is not very varied. Armadillo is one of the mammals.

Desde lejos la silueta del parque nacional (arriba) recuerda vagamente el dibujo de un cangrejo gigantesco, de ahí su nombre. Abajo, otra de las numerosas cascadas que salpican el bosque del parque.

From far away the outline of the national park (above) is vaguely reminiscent of a huge crab, hence its name. Below, another of the many waterfalls that stud the park's forest.

arbusto de 1 a 2 m cuyo nombre fue dedicado a Mastatal, el poblado más cercano al parque nacional. Otras especies endémicas presentes en el área son *Platymiscium curuense,* que produce la madera denominada cristóbal; *Ardisia pittieri,* con frutos rojos agridulces; *Chryosophila grayumi,* una palma; y *Caryodaphnopsis burgeri,* árbol muy escaso considerado como una rareza botánica. Dentro de las razones planteadas por los investigadores para la creación de este parque nacional se encuentran el ser considerado como un paraíso del endemismo, la existencia en su interior de más de 2.000 especies de plantas, y ser un área idónea para estudios de dinámica forestal.

La fauna es poco conspicua, debido al impacto del ser humano y al pequeño tamaño del área protegida. Algunas de las especies visibles de mamíferos son el mono carablanca *(Cebus capucinus),* el mapache *(Procyon lotor),* que tiene la costumbre de lavar sus alimentos, el pizote *(Nasua narica),* la chiza *(Sciurus*

variegatoides), la ardilla más común del país, el perezoso de dos dedos *(Choloepus hoffmanni)* y el armadillo *(Dasypus novemcinctus),* cubierto con un caparazón de ocho a once bandas. Algunas de las muchas especies de aves presentes son el tinamú oliváceo o gallina de monte *(Tinamus major),* que camina por el piso del bosque; el campanero tricarunculado o pájaro campana *(Procnias tricarunculata);* el arasarí piquinaranja o cusingo *(Pteroglossus frantzii),* de atractivo pico de color anaranjado; la lapa roja *(Ara macao),* que utiliza el parque como corredor biológico, y el búho corniblanco *(Lophostrix cristata),* de gran tamaño y con una especie de cachos muy largos.

Otras especies de animales presentes son la rana venenosa verdinegra *(Dendrobates auratus),* la serpiente terciopelo *(Bothrops asper),* responsable de más de la mitad de los accidentes ofídicos en el país, la serpiente de coral *(Micrurus nigrocinctus),* la boa *(Boa constrictor),* especie que se extiende desde México hasta Argentina, y la mariposa morfo azul *(Morpho peleides),* que es muy abundante en las partes bajas y bordes de los ríos y quebradas. El parque además protege los nacientes de numerosas fuentes de agua, entre ellas las que dan origen al río Negro y a la Quebrada Grande.

Actualmente es posible visitar el bosque de la parte baja del parque siguiendo el sendero Plinia, de 1,8 km de largo, construido e interpretado por la Fundación Ecotrópica, organización que ayuda en la conservación de La Cangreja. Este camino atraviesa la Quebrada Grande, que cuenta con atractivas cascadas, aguas muy limpias con pececillos y camaroncillos y pozas para bañarse, y donde se pueden observar fósiles de conchas.

La Cangreja se localiza a 42 km al sureste de Puriscal, por carretera de lastre, siguiendo la antigua vía a Parrita y luego desviándose al este (hay señalización). En las cercanías se encuentra el pueblo de Mastatal.

to the national park. Other endemic species in the area are *Platymiscium curuense,* which produces the wood known as Cristóbal, *Ardisia pittieri,* with its bittersweet fruits, the palm *Chryosophila grayumi* and *Caryodaphnopsis burgeri,* a very scarce tree regarded as a botanical rarity. The reasons given by researchers for setting up this national park include the fact that it is a paradise for endemic species, that it contains over 2,000 species of plants and is an ideal area for studying forest dynamics.

The wildlife is not very conspicuous due to the impact of people and the size of the protected area. Some of the visible species of mammals are the white-throated capuchin *(Cebus capucinus),* raccoon *(Procyon lotor),* which customarily washes its food, white-nosed coati *(Nasua narica),* variegated squirrel *(Sciurus variegatoides)* – Costa Rica's most common squirrel –, two-toed sloth *(Choloepus hoffmanni)* and the armadillo *(Dasypus novemcinctus)* covered in its eight – or eleven-banded shell. Some of the many bird species present are the great tinamou *(Tinamus major),* which walks around the forest floor, the three-wattled bellbird *(Procnias tricarunculata),* fiery-billed aracari *(Pteroglossus frantzii),* with its attractive orangey bill, red macaw *(Ara macao),* which uses the park as a biological corridor, and the large crested owl *(Lophostrix cristata)* with very long horn-like protruberances.

Other animals to be found here are the green or golden poison arrow frog *(Dendrobates auratus),* fer-de-lance *(Bothrops asper),* responsible for over half the accidents involving snakes in the country, the Central American coral snake *(Micrurus nigrocinctus),* boa *(Boa constrictor),* a species distributed from Mexico to Argentina, and the blue morpho *(Morpho peleides),* which occurs in large numbers

in the lowlands and along the edges of rivers and creeks. The park also protects the sources of countless water courses, including the most important – the River Negro and the Quebrada Grande.

It is now possible to visit the forest in the lowland part of the park along the 1.8-kilometre Plinia Trail, built and interpreted by the *Fundación Ecotrópica,* which helps to conserve La Cangreja. This trail crosses the Quebrada Grande, which has attractive falls, very clear water with little fish and shrimps and pools suitable for bathing, and where fossil shells can be seen. La Cangreja is located 42 km southeast of Puriscal along a dirt road following the old route to Parrita and then along a diversion eastwards (signposted). Nearby is the town of Mastatal.

EL BOSQUE PRIMARIO del Parque Nacional La Cangreja posee hasta 148 especies diferentes de árboles por hectárea, lo que le convierte en una de las masas forestales más diversificadas del país.

THE PRIMARY FOREST in La Cangreja National Park has 148 different tree species per hectare, making it one of the most diversified in the entire country.

RESERVA BIOLÓGICA CERRO LAS VUELTAS

Protege parte de los páramos que se encuentran en las partes más altas de la cordillera de Talamanca y de los robledales, compuestos principalmente por enormes árboles de roble (*Quercus* spp.) que los rodean. El mirlo negruzco o escarchero (*Turdus nigrescens*), un ave residente de las altas elevaciones, es aquí muy común. El camino histórico que comunicaba el Valle Central con San Isidro de El General atraviesa esta reserva. El cerro Las Vueltas tiene 3.156 m de altura, se encuentra al lado de la Carretera Panamericana (km 74) y es un excelente mirador que permite abarcar una gran extensión del territorio nacional.

REFUGIO NACIONAL DE VIDA SILVESTRE FERNANDO CASTRO CERVANTES

Está constituido por bosques secundarios secos y tacotales en los que predominan las especies pioneras como la balsa (*Ochroma pyramidale*), el guácimo (*Guazuma ulmifolia*), el gallinazo (*Schizolobium parahyba*) y el guarumo (*Cecropia* spp.). Los venados (*Odocoileus virginianus*) y las lapas rojas (*Ara macao*) se ven con bastante frecuencia. Algunos caminos de tierra que parten de Tárcoles permiten adentrarse en este refugio.

REFUGIO NACIONAL DE VIDA SILVESTRE FINCA BARÚ DEL PACÍFICO

Está formado por un manglar, una playa y remanentes de bosques primarios y secundarios, que limitan al sur con el río Barú. En el manglar se han visto cocodrilos (*Crocodylus acutus*) y caimanes (*Caiman crocodylus*), y son abundantes las garzas, los martinetes cucharones o chocuacos (*Cochlearius cochlearius*) –que se observan a veces en grupos hasta de 50 individuos– y los pelícanos alcatraces (*Pelecanus occidentalis*). En la playa desovan tortugas marinas, como la baula (*Dermochelys coriacea*) y la lora (*Lepidochelys olivacea*). La sirve de acceso la carretera que va de San Isidro de El General a Dominical.

REFUGIO NACIONAL DE VIDA SILVESTRE PORTALÓN

Está constituido por una playa a la que acuden numerosas tortugas, remanentes de bosques en serranías paralelas a la costa y un manglar, que se une con otro muy extenso localizado en la desembocadura del río Savegre. En el humedal se pueden observar grandes árboles de mangle colorado gigante (*Rhizophora racemosa*), que alcanzan hasta 40 m de alto, y es sitio frecuentado por espátulas rosadas (*Ajaia ajaja*) y chocuacos (*Cochlearius cochlearius*). En la playa nidifican tortugas baulas (*Dermochelys coriacea*) y loras (*Lepidochelys olivacea*). La carretera Costanera Sur pasa a través de este refugio.

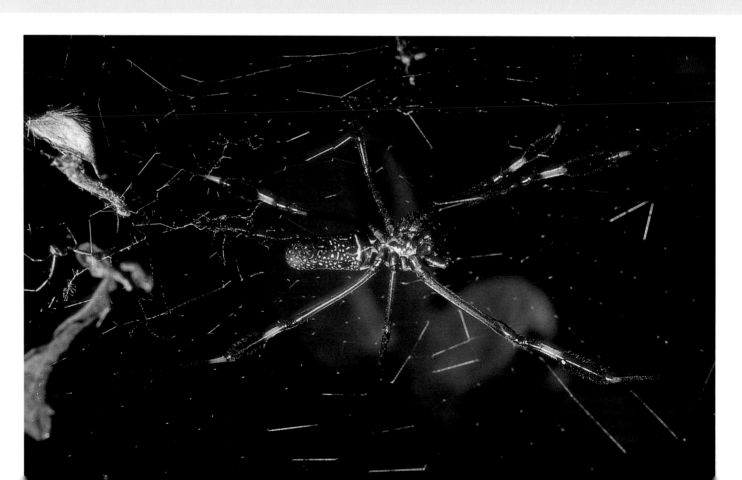

EN LAS NUMEROSAS ZONAS PROTEGIDAS de esta área de conservación los invertebrados son muy abundantes, en particular los arácnidos, que presentan un gran número de especies. A la derecha, raíces aéreas de un árbol y una amazona real o lora.

IN THE MANY PROTECTED PARTS of this conservation area, there are large numbers of invertebrates, particularly arachnid species. Right, the aerial roots of a tree and a yellow-naped parrot.

Cerro Vueltas
Biological Reserve

This biological reserve protects part of the 'páramos' in the highest parts of the Cordillera de Talamanca, and the oak forests *(Quercus spp.)* surrounding them. The sooty robin *(Turdus nigrescens)*, a bird that lives in high mountain areas, is quite common there. The historic road that joins the Central Valley to San Isidro de El General crosses this reserve. The 3,156 m high Las Vueltas Hill is situated next to the Panamerican Highway (km 74) and is an excellent look-out point over much of the country.

Fernando Castro Cervantes
National Wildlife Refuge

It consists of dry secondary forest and 'tacotales' containing pioneer species such as 'balsa' *(Ochroma pyramidale)*, 'guácimo' *(Guazuma ulmifolia)*, 'gallinazo' *(Schizolobium parahyba)* and 'guarumo' *(Cecropia sp.)*. White-tailed deer *(Odocoileus virginianus)* and scarlet macaws *(Ara macao)* are fairly common. Dirt tracks out of Tárcoles go into the refuge.

Finca Barú del Pacífico National Wildlife Refuge

It consists of a mangrove swamp, a beach and remnants of primary and secondary forests that border the River Barú to the south. In the mangrove swamp, crocodiles *(Crocodylus acutus)* and caymans *(Caiman crocodylus)* have been seen. There are lots of birds, such as egrets, boat-billed heron *(Cochlearius cochlearius)* – which are sometimes seen in groups of up to 50 individuals – and brown pelicans *(Pelecanus occidentalis)*. On the beach, turtles such as leatherbacks *(Dermochelys coriacea)* and olive ridleys *(Lepidochelys olivacea)* lay their eggs. Access to this refuge is via the highway between San Isidro de El General and Dominical.

Portalón National Wildlife Refuge

This comprises a beach for turtles, remnants of forests on mountains parallel to the coast, and a mangrove swamp that is connected to the extensive mangrove swamp situated at the mouth of the River Savegre. In the wetland, large trees like the giant red mangrove *(Rhizophora racemosa)* up to 40 m high can be seen. It is frequented by roseate spoonbills *(Ajaia ajaja)* and boat-billed heron *(Cochlearius cochlearius)*. Leatherback turtles *(Dermochelys coriacea)* and olive ridley turtles.

REFUGIO NACIONAL DE VIDA SILVESTRE LA ENSENADA

Protege los manglares que se encuentran en la desembocadura del río Abangares en el Golfo de Nicoya. En estos manglares, que están sometidos a intensa actividad extractiva, principalmente de pianguas *(Anadara tuberculosa)*, las especies más abundantes son el mangle colorado *(Rhizophora mangle)*, que coloniza los bancos de sedimentos, y el mangle colorado gigante *(R. racemosa)*, que crece sobre el margen. Un camino de tierra que parte de Chomes llega hasta cerca de este refugio.

REFUGIO NACIONAL DE VIDA SILVESTRE PLAYA HERMOSA-PUNTA MALA

Hermosa, en la zona de Jacó-Parrita, es una playa en la que anida la tortuga lora *(Lepidochelys olivacea)*. Está considerada también como una de las mejores playas del mundo para practicar el surf, por tener olas continuas y fuertes durante todo el año. Además de esta playa, el refugio incluye la playa Punta Mala, la franja marina hasta una distancia de 1.850 m y la zona marítimo-terrestre. La carretera a Quepos atraviesa este refugio.

REFUGIO NACIONAL DE VIDA SILVESTRE ISLA SAN LUCAS

El refugio comprende la isla y el área marino-costera que se extiende hasta una profundidad de 6 m. En esta isla funcionó un presidio desde 1873 hasta 1989. Las edificaciones, ya bastante deterioradas, permiten formarse una idea de cómo vivían los prisioneros y lo que escribían en las paredes. La vegetación de la isla, que corresponde al bosque seco tropical, otrora reducida a potreros con árboles, está actualmente en activa recuperación, lo mismo que su avifauna. Algunas especies presentes son los venados *(Odocoileus virginianus)* y los monos congo *(Alouatta palliata)*. En esta isla se encuentra uno de los últimos bancos de chuchecas *(Anadara grandis)* del Pacífico del país. San Lucas fue un centro de actividad indígena, de lo que dan fe los concheros, los tiestos, las figuras y los esqueletos encontrados. San Lucas se encuentra a 8 km de Puntarenas.

RESERVA FORESTAL LOS SANTOS

Se localiza en la Cordillera de Talamanca, en un área de mucha pendiente, de alta precipitación y de gran importancia para la conservación de cuencas hidrográficas. Incluye diversos ecosistemas,

De izquierda a derecha, panal silvestre en un bosque primario, mono congo utilizando su cola prensil para desplazarse, frutos de una planta típica del bosque húmedo, y una iguana.

From left to right, wild honeycomb in a primary forest, a howler monkey using its prehensile tail to move around, fruits of a typical plant in the rainforest, and an iguana.

(Lepidochelys olivacea) nest on the beach. The Costanera Sur Highway passes through the middle of this refuge.

LA ENSENADA NATIONAL WILDLIFE REFUGE

This refuge protects mangrove swamps at the mouth of the River Abangares in the Gulf of Nicoya. In these mangrove swamps, which are subject to large-scale exploitation for pianguas *(Anadara tuberculosa)*. The most numerous species are red mangrove *(Rhizophora mangle)*, which colonizes the banks of sediments, and giant red mangrove *(R. racemosa)*, which grows on the margins. A dirt road leaving from Chomes passes close by the refuge.

PLAYA HERMOSA-PUNTA MALA NATIONAL WILDLIFE REFUGE

Hermosa, in the Jacó-Parrita area, is a nesting site for Atlantic ridley-turtle *(Lepidochelys olivacea)*. It is also regarded as one of the best beaches in the world for surfing thanks to its continuous strong waves all year round. Besides the beach, the refuge includes Punta Mala Beach, the marine strip to a distance of 1,850 m and the maritime-terrestrial zone. The road to Quepos crosses the refuge.

ISLA SAN LUCAS NATIONAL WILDLIFE REFUGE

The refuge includes the island and marine-coastal areas down to a depth of 6 m. This island functioned as a prison from 1873 to 1989. The buildings are rather run-down, but give an idea of how prisoners lived and what they wrote on the walls. The island vegetation, which is dry tropical forest, nowadays reduced to farmland with trees, is nowadays in an active process of recovery, like its birdlife. There white-tailed deer *(Odocoileus virginianus)* and howler monkeys *(Alouatta palliata)* are present. This island hosts one of the last banks of mangrove cockle *(Anadara grandis)* in the Pacific part of the country. 'Concheros', pots and figurines and skeletons testify to the fact that San Lucas was an Indian settlement. San Lucas is 8 km from Puntarenas.

como bosques nublados, turberas, robledales y páramos. Algunas especies de fauna aquí presentes son el quetzal *(Pharomachrus mocinno)*, la pava negra *(Chamaepetes unicolor)*, el jaguar *(Panthera onca)*, el cabro de monte *(Mazama americana)* y la danta *(Tapirus bairdii)*. Varios caminos de tierra que parten de Santa María de Dota permiten adentrarse un poco en esta reserva.

ZONA PROTECTORA TIVIVES

Está conformada por el manglar de Mata de Limón, el estero Tivives –en el que desemboca el río Jesús María–, el pequeño estero Las Flores y una ancha playa que forma una gran curvatura, de oleaje fuerte, en cuyos extremos se observan rocas sedimentarias formadas hace unos 15 millones de años, cubiertas de bivalvos y cirrípedos. El manglar de Tivives se formó debido a la sedimentación de los ríos sobre una laguna costera que existió allí hace varios miles de años. Este manglar está constituido principalmente por el mangle colorado gigante *(Rhizophora racemosa)* –en la parte alta del canal y en el borde externo, y con árboles de hasta 30 m de altura–, y el mangle negro *(Avicennia bicolor)* –en el borde interno. En este manglar se pueden observar diversas especies de aves nidificando, como la garcilla bueyera *(Bubulcus ibis)* y la amazona real o lora de nuca amarilla *(Amazona auropallita)*, un psittácido común en la zona pero amenazado por el saqueo que sufren sus nidos. En Tivives funciona una cooperativa de recreo que ha construido casas de veraneo y que ha reforestado la playa. Se accede por una carretera en parte pavimentada y en parte lastrada que sale del puerto de Caldera.

ZONA PROTECTORA EL RODEO

Protege el último remanente de los bosques –unas 750 ha– que otrora cubrían el Valle Central. La vegetación está conformada por bosques maduros poco alterados, bosques maduros alterados y bosques secundarios. Algunos de los árboles más grandes aquí presentes son el higuerón *(Ficus insipida)*, el guayabón *(Terminalia oblonga)* y el pochote *(Bombacopsis quinata)*. Algunas de las especies animales fáciles de observar por los visitantes son los monos carablanca *(Cebus capucinus)*, las ardillas *(Sciurus variegatoides)* y los armadillos *(Dasypus novemcinctus)*; aquí se protege la única población de venados *(Odocoileus virginianus)* del Valle Central. El Rodeo se encuentra al lado del campus de la Universidad para la Paz; existe un sendero que recorre una buena parte de esta área protegida.

ZONA PROTECTORA CERROS DE ESCAZÚ

Conserva los últimos parches de bosque que quedan en estos cerros, particularmente en las laderas más inclinadas. La vegetación existente es típica de bosques de alturas intermedias, en los que se encuentran especies como los robles *(Quercus* spp.*)* y los cipresillos *(Podocarpus macrostachyus)*. Las cuencas hidrográficas que aquí existen suministran el agua que usan los caseríos del piedemonte, incluyendo Santa Ana, Escazú y Puriscal. Desde cualquier punto de esta zona protectora se puede observar todo el Valle Central. Algunos caminos de tierra que parten de San Antonio y de otros pueblitos de Escazú permiten adentrarse un poco en esta zona protectora.

De izquierda a derecha, pelícano alcatraz en el Refugio Nacional de Vida Silvestre Barú, mangles rojos en el manglar del Refugio Nacional de Vida Silvestre Portalón, y la choreja o lirio de agua, común en los humedales de esta área de conservación.

From left to right, a brown pelican in Barú National Wildlife Refuge, red mangroves in the mangrove swamp in Portalón National Wildlife Refuge, and the arum lilly, which is common in the wetlands of this conservation area.

Los Santos Forest Reserve

It is situated in the Cordillera de Talamanca, in a very sloping area with high precipitation, and very important for drainage basin conservation. It includes several ecosystems such as cloud forest, peatland, oak forest and 'páramos'. The resplendent quetzal *(Pharomachrus mocinno),* black guan *(Chamaepetes unicolor),* jaguar *(Panthera onca),* red brocket deer *(Mazama americana)* and Baird's tapir *(Tapirus bairdii)* are found there. A few dirt roads from Santa María de Dota permit access a little way into this reserve.

Tivives Protection Zone

This consists of the Mata de Limón mangrove swamp, the Tivives lagoon where the River Jesús María discharges, the small Las Flores lagoon and a wide beach which forms a great arc with strong waves. At the ends there are sedimentary rocks about 15 million years old, covered in bivalves and cirripedes. The Tivives mangrove swamp formed due to sedimentation of the rivers on a coastal lagoon that has been there for thousands of years. This mangrove swamp comprises, above all, giant red mangrove *(Rhizophora racemosa)* in the upper part of the channel and on the outer edge, and with trees of up to 30 metres high, and *Avicennia bicolor* on the inner edge. Several bird species nest in this mangrove swamp, e.g. cattle egret *(Bubulcus ibis)* and yellow-naped amazons *(Amazona auropallita),* a parrot that is locally common but threatened by nest theft. In Tivives a leisure

cooperative has built summer houses and has reforested the beach. Access is via a partly asphalted and partly grit road ou t of the port of Caldera.

El Rodeo Protection Zone

It contains 75 ha of the last remnant of forests that once covered the Central Valley. The vegetation consists of scarcely altered mature forest, altered mature forest and secondary forest. Some of the tallest trees there are wild fig *(Ficus insipida),* 'guayabón' *(Terminalia oblonga)* and spiny cedar *(Bombacopsis quinata).* It is easy for visitors to see white-faced capuchins *(Cebus capucinus),* tree squirrels *(Sciurus variegatoides)* and armadillos *(Dasypus novemcinctus).* The area protects the only white-tailed deer *(Odocoileus virginianus)* population in the Valle Central. El Rodeo is next to the Peace University campus. A path runs over a large part of this protected area.

Cerros de Escazú Protection Zone

It protects the last remaining patches of forest in these hills, particularly in the steepest parts. The vegetation is typical of mid-altitude forest where oaks *(Quercus* spp.) and 'cipresillos' *(Podocarpus macrostachyus)* occur. The drainage basins here provide the water for the towns in the lowlands, including Santa Ana, Escazú and Puriscal. There are views of all the Central Valley from any point

ZONA PROTECTORA CARAIGRES

Preserva el bosque que cubre la parte superior del cerro Caraigres. El área es muy escarpada e importante por la gran cantidad de quebradas que allí nacen, afluentes de los ríos Parrita y Candelaria; por ello, la restauración de sus bosques es muy necesaria. Los remanentes de estos bosques están constituidos principalmente por el chilemuela *(Drymis granadensis)* y por robles *(Quercus* spp.). Algunas carreteras, en parte pavimentadas y en parte lastradas, que se inician en San Ignacio de Acosta permiten adentrarse un poco en esta zona protectora.

ZONA PROTECTORA CERROS DE TURRUBARES

Un 80% de este cerro –un antiguo volcán– está cubierto de bosques secundarios, y existen algunos remanentes de bosques primarios. Toda el área es de particular importancia para la protección de las cuencas hidrográficas que suplen de agua a Orotina. En las partes bajas crece el bosque seco, donde predomina el pochote *(Bombacopsis quinata)*, y en las partes intermedias se presentan el tirrá *(Ulmus mexicana)* y los robles *(Quercus* spp.). Algunos de los animales que viven en estos bosques son el zorro de cuatro ojos *(Philander opossum)*, la martilla *(Potos flavus)* y el puercoespín *(Coendou mexicanum)*. Un

ave que se puede observar en esta área en las ramas más altas de los árboles es el impresionante zopilote rey *(Sarcoramphus papa)*. Una carretera en parte asfaltada y en parte lastrada, que se inicia en Orotina, llega hasta muy cerca de esta zona protectora.

ZONA PROTECTORA CERRO NARA

Constituye el extremo más occidental del complejo de La Amistad, y está tapizada de bosques en su mayoría primarios y de algunos secundarios. Aquí se encuentran saínos *(Pecari tajacu)*, cabros de monte *(Mazama americana)* y tepezcuintles *(Agouti paca)*. Se procura la conexión de esta zona con el Parque Nacional Manuel Antonio por medio de un corredor biológico. Algunos caminos de tierra que parten de Quepos permiten adentrarse un poco en esta zona protectora.

ZONA PROTECTORA MONTES DE ORO

Está cubierta por remanentes de bosques primarios y potreros, y abarca las cuencas de los ríos Jabonal, Ciruelas y Seco, que suministran agua potable a Miramar y Puntarenas. Algunas de las especies de árboles que se observan aquí son el indio desnudo *(Bursera simaruba)*, el roble de sabana *(Tabebuia rosea)*

De izquierda a derecha, un ejemplar de pecarí de collar, un manigordo u ocelote y un basilisco.

From left to right, a collared peccary; the ocelot or manigordo *and a basilisk.*

in this protected area. Dirt roads from San Antonio and other small towns in Escazú allow visitors o go a little way into this protection zone.

CARAIGRES PROTECTION ZONE

It protects the forest covering the upper part of the Caraigres Hills. The area is very steep and important for the large number of streams that rise there. As tributaries of the Parrita and Candelaria rivers, recovery of their forests is very necessary. The forest remnants mainly consist of winter's bark tree (*Drymis granadensis*) and oaks (*Quercus* spp.). A few dirt tracks with asphalted sections and gritted sections lead from San Ignacio de Acosta a short way into the protected area.

CERROS DE TURRUBARES PROTECTION ZONE

Eighty percent (80%) of this hill – a former volcano – is covered in secondary forest, and there is some remnant primary forest. The entire area is especially important for the protection of drainage basins that supply the Orotina. In the lower reaches, where spiny cedar (*Bombacopsis quinata*) is predominant, dry forest occurs. In the intermediate parts there is elm (*Ulmus mexicana*)

and oak (*Quercus spp.*). The animal life in these forests include four-eyed opossum (*Philander opossum*), kinkajou (*Potos flavus*) and porcupine (*Coendou mexicanum*). The impressive king vulture (*Sarcoramphus papa*) can be seen in the uppermost branches of the trees. A partly asphalted and part dirt road beginning in Orotina runs very close to this protected area.

CERRO NARA PROTECTION ZONE

This is the most westerly end of the La Amistad complex and is carpeted in forest, mostly primary but also some secondary, home to peccaries (*Pecari tajacu*), brocket deer (*Mazama americana*) and pacas (*Agouti paca*). There are plans to join it up with Manuel Antonio National Park via a biological corridor. Dirt roads from Quepos allow visitors to go a short way into this protected area.

MONTES DE ORO PROTECTION ZONE

It is covered in remnant primary forest and farmland, and includes the basins of the rivers Jabonal, Ciruelas and Seco, which supply drinking water to Miramar and Puntarenas. The 'gumbo-limbo' (*Bursera simaruba*), May flower (*Tabebuia rosea*) and 'barrigón' (*Pseudo-bombax septenatum*)

y el ceibo barrigón *(Pseudobombax septenatum)*. Algunos caminos de tierra que parten de Miramar permiten adentrarse un poco en esta zona protectora.

ZONA PROTECTORA QUITIRRISÍ

Es un área que aunque bastante afectada por la deforestación, es importante para conservar las cuencas hidrográficas que se encuentran en proceso de recuperación. Algunos de los árboles remanentes del bosque original aquí presentes son el higuerón *(Ficus insipida)*, el guayabón *(Terminalia oblonga)* y el pochote *(Bombacopsis quinata)*. La carretera a Puriscal atraviesa esta zona protectora.

ZONA PROTECTORA QUEBRADA ROSARIO

Protege una porción de bosque poco alterado en la microcuenca de la quebrada Rosario, tributaria del río Parrita, que abastece de agua potable a la comunidad de San Pablo de León Cortés, desde la cual se puede subir a esta cuenca. Algunos de los árboles grandes existentes son los cedros dulce *(Cedrela tonduzii)*, los iras rosa *(Nectandra sanguinea)*, las magnolias *(Magnolia sororum)* y los robles *(Quercus* spp.*)*. Existe también gran variedad de orquídeas, bromelias y helechos.

ZONA PROTECTORA CERRO EL CHOMPIPE

Se estableció para proteger las cuencas hidrográficas que sumistran el agua potable que requieren varias comunidades del distrito de Hacienda Vieja, cantón de Orotina. Toda el área, que es de propiedad estatal y está cubierta por bosques secos de crecimiento secundario, es sólo apta para restauración de la biodiversidad y producción hídrica.

HUMEDAL MARINO DE PLAYA BLANCA

Este humedal, que recibe agua del mar, protege aves migradoras y residentes en la zona de Playa Blanca, cerca de Punta Leona, al noreste de Jacó. Algunas de las aves aquí presentes son los pelícanos alcatraces *(Pelecanus occidentalis)*, las tijeretas de mar o rabihorcados magníficos *(Fregata magnificens)* y varias especies de garzas, garcillas e íbises. La carretera a Jacó pasa cerca de este humedal.

HUMEDAL ESTERO DE PUNTARENAS

Este humedal está formado por el estero de este puerto y por los manglares, bastante alterados por la actividad humana, que se desarrollan en su parte norte y noroeste, entre el barrio el Carmen y el río Guacimal. En el Estero de Puntarenas se pueden alquilar botes para recorrer este humedal.

JUNTO A ESTAS LÍNEAS, bromelia gigante en el bosque del Parque Nacional Manuel Antonio. A la derecha, cocodrilos y rabihorcados magníficos o tijeretas de mar durante el período de reproducción.

ALONGSIDE, A GIANT BROMELIAD in the forest of Manuel Antonio National Park. Right, crocodiles and magnificent frigatebirds during the mating season.

are a few of the tree species found there. A few dirt roads starting at Miramar allow visitors to go a little way into this protected area.

QUITIRRISÍ PROTECTION ZONE

Although affected by deforestation, it is important for conserving the drainage basins, which are currently recovering. Remnant trees of the original forest include 'higuerón' *(Ficus insipida),* 'guayabón' *(Terminalia oblonga)* and spiny cedar *(Bombacopsis quinata).* The road to Puriscal crosses this protected area.

QUEBRADA ROSARIO PROTECTION ZONE

This area protects part of barely disturbed forest in the microbasin of Rosario Creek, a tributary of the River Parrita, which supplies drinking water to the community of San Pablo de León Cortés. It is possible to go up to the basin from the town. There are large examples of sweet cedar *(Cedrela tonduzii),* iras rosa *(Nectandra sanguinea),* magnolias *(Magnolia sororum)* and oaks *(Quercus* spp.). There is also a great variety of orchids, bromeliads and ferns.

CERRO EL CHOMPIPE PROTECTION ZONE

It was set up to protect the drainage basins supplying drinking water to several communities in the Hacienda Vieja district of the Orotina region. The entire state-owned area, covered in dry secondary forest, is only suitable for biodiversity recovery and water output.

PLAYA BLANCA MARINE WETLAND

This wetland, which receives water from the sea, protects migratory and resident birds on Blanca Beach near Punta Leona north-east of Jacó. There are brown pelicans *(Pelecanus occidentalis),* magnificent frigatebirds *(Fregata magnificens)* and several species of herons, egrets and ibises. The road to Jacó passes near this wetland.

ESTERO DE PUNTARENAS WETLAND (INTERTIDAL MARSH)

This wetland consists of the intertidal marsh of the port and mangroves, rather artificially altered, growing in the north and north-west between Barrio el Carmen and the River Guacimal. At Estero de Puntarenas, visitors can hire boats to take a trip through the wetland.

ARENAL-TEMPISQUE

La riqueza de colibríes en esta área de conservación es muy notable. A la izquierda, una hembra de colibrí morado preparada para libar en la flor. A la derecha, vista general del Parque Nacional Palo Verde desde el mirador de la Roca. Abajo, un milpiés.

There is a considerable wealth of hummingbirds in this conservation area. Left, a female brown Inca about to feed. Right, overall view of Palo Verde National Park from La Roca Viewing Point. Below, a millipede.

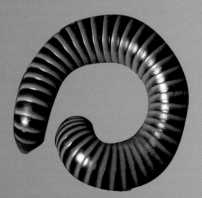

PARQUE NACIONAL
PALO VERDE

LAS AMPLIAS LLANURAS INUNDABLES del Parque Nacional
Palo Verde se encuentran delimitadas por una serie
de colinas calcáreas en las que se desarrollan
densas masas forestales mixtas.

THE VAST FLOOD PLAINS of Palo Verde National Park
are bounded by a series of calcareous hills covered
in thick tracts of mixed forest.

ESTÁ CONSTITUIDO POR UNA LLANURA formada por sedimentos aluviales y coluviales recientes, delimitada por ríos y por una fila de cerros de calizas de plataforma de unos 57-50 millones de años de antigüedad. El área de Palo Verde se encuentra sujeta a inundaciones estacionales de gran magnitud.

Durante la estación lluviosa, debido a su poco drenaje, la llanura se anega por efecto de la acción combinada de la lluvia, las mareas y los desbordamientos de los ríos Tempisque y Bebedero. Desde los miradores de los cerros Catalina y Guayacán se observa una amplia extensión de los pantanos y lagunas

PALO VERDE
NATIONAL PARK

T CONSISTS OF A PLAIN FORMED by alluvial and colluvial sediments delineated by rivers and a line of platform limestone hills 57-50 milion years old. The area is subject to large-scale seasonal flooding. In the rainy season, due to the poor drainage, the plain floods through the combined action of rain, tides and the overflow from the Tempisque and Bebedero rivers. A wide expanse of Palo Verde swamps and lagoons and a sizeable part of Guanacaste province are visible from the viewing points of Catalina and the Guayacán hills.

La espátula rosada es una de las 60 especies de aves acuáticas y vadeadoras que de septiembre a marzo se concentran en este extenso humedal para alimentarse y reproducirse.

The roseate spoonbill is one of the 60 species of aquatic and wading birds which gather in this vast wetland from September to March to feed and breed.

LOS CERROS DE ESTE PARQUE NACIONAL, que dominan las llanuras inundables del área protegida, aparecen tapizados por densos bosques mixtos en los que se han identificado más de cien especies de árboles.

THE HILLS IN THIS NATIONAL PARK, which overlook the flood plains of the protected area, are covered in thick mixed forest containing over one hundred tree species.

del parque, así como de una buena parte de la provincia de Guanacaste.

Palo Verde es uno de los lugares de mayor variedad ecológica del país, con más de 12 hábitats diferentes. Entre ellos se encuentran las lagunas y pantanos salobres y de agua dulce, los zacatonales con mangle salado *(Avicennia germinans)*, los manglares –que incluyen al mangle blanco *(Laguncularia racemosa)*, especie poco abundante que forma pequeños rodales en las márgenes de los canales–, los pastizales con raspaguacal *(Curatella americana)*, los bosques achaparrados de bajura, los bosques mixtos deciduos de llanura, los bosques mixtos sobre colinas cal-

cáreas, los bosques ribereños o de galería, las sabanas arboladas, los bosques anegados y los bosques siempreverdes. En esta área protegida se han identificado unas 150 especies de árboles; uno de los más conspicuos, y que da nombre al lugar, es el palo verde *(Parkinsonia aculeata)*, un arbusto espinoso, de hojas, ramas y tronco de color verde claro, con delicadas flores amarillas. En el parque se encuentra la mayor población del país del guayacán real *(Guaiacum sanctum)*, un árbol de madera extremadamente pesada y muy apreciada, en grave peligro de extinción.

Una de las mayores concentraciones de aves acuáticas y vadeadoras de toda Mesoamérica tiene lugar en Palo Verde.

With over 12 different habitats, Palo Verde is one of the places with greatest ecological variety in the country. They include lagoons and brackish and freshwater swamps, the masses of 'zacatón' grass with black mangrove *(Avicennia germinans)*, mangroves, –which include white mangrove *(Laguncularia racemosa)*, a little studied species that forms small stands on the banks of channels–, grassland with rough-leaf tree *(Curatella americana)*, stunted forests of lowland mixed deciduous plains forests, mixed forests on calcareous hills, riverine or gallery forests, wooded savannahs, flooded forests and evergreen forests. In this protected area some 150 species of trees have been recorded. One of the most conspicuous and the one that gives its name to the place is the horse bean *(Parkinsonia aculeata)*, a thorny bush with light green leaves, branches and trunk and with delicate yellow flowers. This park contains the largest population of lignum-vitae *(Guaiacum sanctum)* in the country. It is a tree with extremely heavy and much appreciated wood and is seriously threatened with extinction.

One of the largest gatherings of waterfowl and waders in the whole of Central America occurs in Palo Verde. From September to March some 60 species, both resident and migra-

Una de las aves acuáticas que se concentran en mayor número en las lagunas y zonas encharcadas de esta área protegida es el suirirí piquirrojo, popularmente conocido como piche, cuya población se estima que supera los 25.000 individuos.

One of the aquatic birds that flocks in large numbers to the lagoons and flooded areas of this protected area is the black-bellied whistling duck. Popularly known as 'piche', as many as 25,000 have been recorded.

En los densos e impenetrables manglares de la isla Pájaros, situada en el río Tempisque, nidifican cada año de una manera colonial hasta trece especies diferentes de aves. Arriba, un pollo de avetigre mexicana en su nido.

In the thick impenetrable mangrove swamps of Pájaros Island on the River Tempisque up to thirteen species of birds nest in colonies every year. Above, a bare-throated tiger-heron chick on its nest.

De septiembre a marzo, unas 60 especies, tanto residentes como migratorias, se concentran en las lagunas y áreas vecinas para alimentarse y reproducirse. De éstas, las de mayores poblaciones son el suirirí piquirrojo o piche *(Dendrocygna autumnalis)* –25.000 individuos–, la cerceta aliazul o zarceta *(Anas discors)* –15.000 individuos– y el tántalo americano o garzón *(Mycteria americana)* –4.000 individuos. Otras especies de aves muy conspicuas son el jabirú americano o galán sin ventura *(Jabiru mycteria)*, especie amenazada de extinción y cuya población aquí es de unos 45 individuos, y el guacamayo macao o lapa roja *(Ara macao)*, ya casi desaparecida de Guanacaste. Se han observado unas 279 especies de aves en el parque, de las que 60 son acuáticas.

En la isla Pájaros, de 2,3 ha, localizada en el río Tempisque, nidifican 13 especies de aves. Esta isla, conformada por un manglar, posee la colonia nidificante más grande del país de martinete común *(Nycticorax nycticorax)*. En las riberas de los ríos Tempisque y Bebedero se observan cocodrilos *(Crocodylus acutus)* de hasta 5 m de largo. En los sitios conocidos como Botija, Bocana y Sonzapote se han encontrado yacimientos arqueológicos prehispánicos.

Palo Verde forma parte de la unidad biogeográfica que se conoce como "las bajuras del Tempisque". Este parque fue incorporado a la Lista de Humedales de Importancia Internacional de Ramsar en 1991. En el parque existen varios senderos que conducen a sitios de interés, hay áreas para acampar y una estación biológica que pertenece a la Organización para Estudios Tropicales (OTS). A la Administración se llega desde Bagaces vía Carretera Panamericana-Tamarindo-Bagatzí (20 km) por carretera en parte pavimentada y en parte lastrada.

tory, gather in the lagoons and neighbouring areas to feed and reproduce. Those with the largest populations are the black-bellied whistling-duck *(Dendrocygna autumnalis)* with 25,000 birds, blue-winged teal *(Anas discors)* with 15,000, and the wood stork *(Mycteria americana)* with 4,000 birds. Other very conspicuous bird species are the jabiru *(Jabiru mycteria),* a threatened species with a population there of about 45 birds and the scarlet macaws *(Ara macao),* which already has almost disappeared from Guanacaste. Some 279 species of birds have been recorded in the park, of which 60 are aquatic.

On 2.3-hectare Pájaros Island on the River Tempisque 13 species of birds nest. It comprises a mangrove swamp and has the biggest nesting colony of black-crowned night-heron *(Nycticorax nycticorax)* in the country. On the banks of the rivers Tempisque and Bebedero you can see crocodiles *(Crocodylus acutus)* up to 5 m long. In Botija, Bocana and Sonzapote pre-Hispanic archaeological remains have been found.

Palo Verde is part of the biogeographic unit known as 'the Tempisque River Lowlands'. This park is on the Ramsar List of Wetlands of International Importance since 1991. There are several paths in the park leading to interesting sites, camping sites and a biological station belonging to the Organization for Tropical Studies (Spanish acronym OTS). The office can be reached from Bagaces via the Panamerican Highway-Tamarindo-Bagatzí (20 km) along a partly asphalted road.

Los características encharcamientos de esta área protegida (izquierda) constituyen un hábitat ideal para las aves acuáticas y vadeadoras. Arriba, una garceta grande o garza real.

The characteristic flooding of this protected area (left) creates an ideal habitat for aquatic birds and waders. Below, a great white egret.

Refugio Nacional de Vida Silvestre Cipancí

Abarca los manglares y los espejos del agua de los ríos Bebedero, Lajas y Charco, e incluye la Isla del Toro ubicada en la desembocadura del río Tempisque. Desde el puente La Amistad, sobre el río Tempisque, se pueden observar los bosques de mangle que integran este refugio. La mejor forma de visitarlo es navegando por sus ríos, lo que permite observar su rica avifauna, los mamíferos asociados con los manglares, y los cocodrilos (*Crocodylus acutus*) que se pueden ver con relativa frecuencia.

Reserva Biológica Lomas Barbudal

Lomas Barbudal es un área muy rica en especies de insectos, particularmente de abejas, avispas –tanto sociales como solitarias– y mariposas diurnas y nocturnas. Se estima que existen unas 250 especies de abejas y unas 60 de mariposas nocturnas. En esta reserva se encuentran seis hábitats diferentes, a saber: el bosque deciduo –que cubre el 70% de su superficie y donde abunda el pochote (*Bombacopsis quinata*)–, el bosque ribereño –donde se ha encontrado el curioso árbol de balas de cañón (*Couropita nicaraguensis*)–, la sabana arbolada –donde el nance (*Byrsonima crassifolia*) es muy frecuente–, el bosque de galería, el bosque xerofítico o extremadamente seco –muy rico en cactos– y el robledal –con abundancia de encinos (*Quercus oleoides*). Esta reserva adquiere su máxima espectacularidad durante el mes de marzo, cuando los árboles de corteza amarilla (*Tabebuia ochracea*) se cubren totalmente de flores amarillas. Ríos de aguas permanentes como el Cabuyo, en el que existen pozas excelentes para la natación, atraviesan esta reserva.

Zona Protectora Arenal-Monteverde

Esta zona protectora, que se localiza en las vertientes pacífica y caribeña de la cordillera de Tilarán, está integrada casi en su totalidad por dos reservas privadas, la Reserva Biológica Bosque Nuboso de Monteverde, de 14.200 ha, administrada por el Centro Científico Tropical (CCT), y el Bosque Eterno de los Niños, de 17.400 ha, administrado por la Liga Conservacionista de Monteverde (LCM). Este último bosque tropical es el primero en el mundo que ha sido adquirido enteramente con donaciones de niños de Suecia, Estados Unidos, Inglaterra, Canadá y Japón.

El clima es muy lluvioso (más de 3.000 mm por año), pero la principal característica de los bosques de las partes más altas de las dos reservas es que permanecen cubiertos de nubes la mayor parte del año, lo que da lugar a una gran diversidad de musgos, hepáticas, líquenes y epífitas que crecen profusamente sobre la vegetación arbórea. Algunos de los árboles más altos son el ira rosa (*Ocotea whitei*) el roble (*Quercus insignis*), el zapote (*Pouteria fossicola*), y el matapalo (*Ficus tuerckheimii*). En la zona se han identificado unas 100 especies de mamíferos, de los que 40 son murciélagos; 153 de anfibios y reptiles, y unas 400 de aves, incluyendo el quetzal (*Pharomachrus mocinno*), el guacamayo ambiguo o lapa verde (*Ara ambigua*) –muy amenazada de extinción– y 30 especies de colibríes –las aves que con mayor fascinación observan los turistas. El sapo dorado (*Bufo periglenes*), el anfibio endémico más conocido y estudiado de la zona, que se encontraba restringido a un área montañosa de menos de 1.000 ha, se extinguió a finales de la década de los años 80. A la Reserva del Bosque Nuboso de Monteverde, que cuenta con una estación biológica, se llega siguiendo la ruta San José-Panamericana Norte-Monteverde (172 km), en parte asfaltada y en parte lastrada. Dentro de las dos reservas existen varios senderos que conducen a sitios de interés científico y escénico.

De izquierda a derecha, árboles corteza amarilla en el bosque deciduo de Lomas de Barbudal, la densidad del bosque tropical de Monteverde, muy rico en especies arbóreas, orquídea del bosque nuboso de esta zona protectora, y un ejemplar macho de barbudo cabecirrojo.

From left to right, yellow cortez trees in deciduous forest at Lomas de Barbudal, the dense tropical forest in Monteverde, very rich in tree species, an orchid in the cloud forest of this protected area, and a male red-headed barbet.

Cipancí National Wildlife Refuge

This refuge covers mangrove swamps and pools on the rivers Bebedero, Lajas and Charco, and includes Isla del Toro at the mouth of the River Tempisque. From Puente La Amistad over the River Tempisque, there is a view of the refuge's mangrove forest. The best way to visit is by boat along the river to see the wealth of birdlife. Mammals associated with mangroves and crocodiles *(Crocodylus acutus)* can quite often be spotted.

Lomas Barbudal Biological Reserve

Lomas Barbudal is very rich in insect species, particularly bees, social and solitary wasps, butterflies and moths. There are estimated to be about 250 bee species and 60 types of moth.

The reserve can boast six different habitats: deciduous forest (covering 70% of the land area and containing many 'pochote' *(Bombacopsis quinata),* riverine woodland (where the strange tree 'balas de cañón' *(Couropita nicaraguensis)* has been found), savannah (where 'nance' *(Byrsonima crassifolia)* is very common), gallery forest, xerophytic or extremely dry woodland (very rich in cacti) and oak forest with large numbers of holm oaks *(Quercus oleoides).*

Lomas Barbudal is at its most spectacular in March when the yellow cortez trees *(Tabebuia ochracea)* are covered in yellow flowers. The reserve is furrowed by permanent rivers, such as the Cabuyo, with its excellent pools for swimming.

Arenal-Monteverde Protection Zone

This protection zone, situated on the Pacific and Caribbean slopes of the Tilarán Cordillera, almost entirely consists of two private reserves: the 14,200-ha Monteverde Cloud Forest Reserve, run by the Tropical Science Center (TCC), and the 17,400-ha Bosque Eterno de los Niños (Children's Everlasting Forest), run by the Monteverde Conservationist League (MCL). The latter is the first in the world to be entirely acquired through donations from children from Sweden, the United States, England, Canada and Japan.

The climate in this protected area is very wet (over 3,000 mm per year), but the main feature of the forests on the highest parts of the two reserves is that they remain covered in cloud for most of the year, giving rise to a large diversity of mosses, livervorts, lichens and epiphytes which grow profusely on the trees. The tallest are ira rosa *(Ocotea whitei);* oak *(Quercus insignis),* zapote *(Pouteria fossicola)* and the wild fig *(Ficus tuerckheimii).* 100 mammals species have been identified in this area. 40 are bats; 153 amphibians and reptiles and about 400 birds, including the quetzal *(Pharomachrus mocinno),* highly threatened green macaw *(Ara ambigua)* and 30 species of hummingbird – the birds that tourists find most fascinating. The golden toad *(Bufo periglenes),* the most studied and best known amphibian in the area, which was restricted to a mountainous area less than 1,000 ha, died out at the end of the eighties. Bosque Nuboso de Monteverde Reserve, where there is a biological station, can be reached via San José-Panamericana Norte-Monteverde (172 km) on partly asphalted roads. Within the two reserves there are several paths leading to sites of scientific and scenic interest.

LA RIQUEZA DE INVERTEBRADOS y en particular de mariposas es digna de reseñar en los bosques de la zona protectora de Monteverde. A la derecha, un macho de colibrí morado.

THE WEALTH OF INVERTEBRATES, especially of butterflies, is worthy of special note in the forests of Monteverde Protection Zone. On the right, a male violet sabrewing hummingbird.

RESERVA FORESTAL TABOGA

Esta reserva forma parte del Colegio Universitario para el Riego y el Desarrollo del Trópico Seco. Está cubierta por bosque seco y de galería. El guanacaste *(Enterolobium cyclocarpum)*, el árbol nacional, es aquí muy abundante. La riqueza en aves es notable –121 especies identificadas–; son muy comunes las garzas, las garcillas y las palomas; el galán sin ventura *(Jabiru mycteria)*, en peligro de extinción, también nidifica aquí. Otras especies abundantes son el mono carablanca *(Cebus capucinus)* y el mapachín *(Procyon lotor)*. Se localiza 10 km al sur de Cañas; varios senderos permiten recorrer esta reserva.

ZONA PROTECTORA CUENCA DEL RÍO ABANGARES

Protege las cuencas hidrográficas que surten de agua a la ciudad de Abangares. En los bosques secundarios premontanos que cubren buena parte de esta zona protectora nace el río Abangares. Aquí existe uno de los sitios de mayor interés histórico de todo el país: el Ecomuseo de las Minas de Oro de Abangares. Algunos caminos de tierra que parten de Abangares permiten adentrarse un poco en esta zona protectora.

ZONA PROTECTORA MIRAVALLES

El volcán Miravalles, sin actividad en tiempos históricos, es un estratovolcán muy complejo, de 2.028 m de altura, con al menos seis focos eruptivos en su cima. El cráter del Miravalles tiene 600 m de diámetro y en sus flancos oeste y suroeste pueden verse coladas de lava prehistóricas. En la parte superior del volcán nace el río Blanco, cuyo nombre deriva de los materiales volcánicos que acarrea, y en su piedemonte, en la parte suroeste, en Las Hornillas, accesibles por un sendero desde Bagaces, se observan interesantes manifestaciones hidrotermales. Existen dos senderos que llevan hasta la cima del volcán, y que permiten apreciar los bosques húmedos, muy húmedos y nublados, muy bien conservados, que cubren sus faldas. En estas florestas se pueden observar grandes árboles de roble *(Quercus spp.)*, pilón *(Hyeronima alchorneoides)*, campano *(Gordonia spp.)* y maría *(Calophyllum brasiliense)*. En estos ambientes viven saínos *(Pecari tajacu)*, dantas *(Tapirus bairdii)*, cabros de monte *(Mazama americana)* y pavones norteños *(Crax rubra)*. Algunos de los vestigios arqueológicos prehispánicos más antiguos del país se han encontrado aquí; hacia el este y sureste del volcán aparecen numerosos sitios que llevan la antigüedad del poblamiento del área al año 1570 a.C.

HUMEDAL LAGUNA MADRIGAL

Protege aves migradoras y residentes en las bajuras del Tempisque, al sur de Bebedero. Algunas de las aves frecuentes en esta laguna son el suirirí piquirrojo o piche *(Dendrocygna autumnalis)*, la cerceta aliazul *(Anas discors)*, el pato criollo o real *(Cairina moschata)* y la espátula rosada *(Ajaia ajaja)*. Un camino de tierra que parte de Bebedero permite llegar hasta cerca de este humedal.

*D*E IZQUIERDA A DERECHA, *la espectacular flor de la pasión, un ejemplar adulto de avetigre mexicana, una reinita, y vegetación acuática en el Humedal Laguna Madrigal.*

*F*ROM LEFT TO RIGHT, *the spectacular passion flower, an adult bare-throated tiger-heron, a 'reinita', and aquatic vegetation in Laguna Madrigal Wetland.*

TABOGA FOREST RESERVE

This reserve is part of the University College for the Irrigation and Development of the Dry Tropics. It is covered in dry and gallery forest. The ear tree *(Enterolobium cyclocarpum)*, the national tree, is very common here. The wealth of birds is considerable (121 species). Herons, egrets and doves are very common. The threatened jabiru *(Jabiru mycteria)* also nests here. Other abundant species are the white-faced capuchin *(Cebus capucinus)* and the common raccoon (Procyon lotor). It is situated 10 km south of Cañas. There are various paths through the reserve.

RIVER ABANGARES PROTECTION ZONE

This protects the drainage basins that supply the city of Abangares with water. The Abangares River rises in the premontane secondary forests that cover a sizeable part of this protection zone. Here you can find one of the places of greatest historic interest in the whole country – the Abangares Goldmines Ecomuseum. Dirt tracks from Abangares allow visitors to go a little way into this protected area.

MIRAVALLES PROTECTION ZONE

It includes the Miravalles Volcano, which has no record of activity in historic times. It is a very complex stratovolcano 2,028 m high with at least six eruption points at its peak. The crater of Miravalles Volcano is 600 m across and on its western and south-western flanks there are prehistoric lava flows. The source of the River Blanco lies in the upper section. The name derives from the volcanic materials that it transports. At Las Hornillas, which is accessible by the path from Bagaces, in the piedmont in the south-western part, interesting examples of hydrothermal activity can be seen. Some of the oldest pre-Hispanic archaeological remains in the country have been found in this area.

Two paths leading to the top of the volcano enable visitors to appreciate the very well conserved very moist forest and cloud forest cloaking its sides. There are large oaks *(Quercus* spp.), 'pilón' *(Hyeronima alchorneoides)*, 'campano' *(Gordonia* spp.) and Santa María or 'cedro maría' *(Calophyllum brasiliense)*. It is home to peccaries *(Pecari tajacu)*, Baird's tapir *(Tapirus bairdii)*, brocket deer *(Mazama americana)* and great curassow *(Crax rubra)*.

Some of the oldest prehispanic archaeological remains in the country have been found here; to the east and south-east of the volcano many sites indicate that the settlement may date back to 1570 BC.

LAGUNA MADRIGAL WETLAND

It protects migratory and sedentary birds in the Tempisque lowlands, south of Bebedero. Some of the most common birds at this lake are black-bellied whistling duck *(Dendrocygna autumnalis)*, blue-winged teal *(Anas discors)*, muscovy duck *(Cairina moschata)* and roseate spoonbill *(Ajaia ajaja)*. A dirt road from Bebedero passes close by the wetland.

*a*RENAL-HUÉTAR NORTE

El Refugio Nacional de Vida Silvestre Caño Negro (derecha), un área lacustre rodeada de terrenos pantanosos que concentra un gran número de aves, forma parte de la Lista de Humedales de Importancia Internacional de Ramsar. A la izquierda, uno de los cursos fluviales del Parque Nacional Juan Castro Blanco.

Caño Negro National Wildlife Refuge (right), a lacustrine area surrounded by swampy land where large numbers of birds gather, is on the Ramsar List of Wetlands of International Importance. On the left, a water course in Juan Castro Blanco National Park.

PARQUE NACIONAL
JUAN CASTRO BLANCO

EN ESTE PARQUE NACIONAL existen tres tipos de bosques: el premontano pluvial, el premontano muy húmedo y el bosque pluvial montano bajo. A la derecha, una cotinga nívea que vive en las partes bajas del área protegida.

THIS NATIONAL PARK CONTAINS three kinds of forest: premontane rainforest, very moist premontane and low montane rainforest. Right, a snowy cotinga, a resident of the lowland parts of the protected area.

ESTE PARQUE, TAMBIÉN DENOMINADO por ley de la República como Parque Nacional del Agua, fue establecido para proteger una franja de bosques primarios y secundarios localizada a alturas entre los 700 y los 2.267 m. Alberga una gran diversidad de especies de flora y fauna y garantiza un flujo constante y limpio para infinidad de nacientes de agua de ríos tan importantes como el Toro, el Aguas Zarcas, el Guayabo y el Platanar. La precipitación media anual es de 4.000 mm.

Por ubicarse en la Cordillera Central, la geomorfología del área es volcánica. Entre sus edificios volcánicos, todos inactivos,

se encuentran el volcán Platanar o volcán Congo, con 2.183 m de altitud, un estratovolcán que presenta un cráter destruido al noroeste y muestra flujos de lava prehistóricos; el volcán Viejo, de 2.122 m de altitud, que hasta 1975 presentaba actividad fumarólica; el volcán Porvenir, de 2.267 m de altitud, un estratovolcán que contiene en su cima un borde caldérico erosionado; y la caldera de Río Segundo, ya muy erosionada.

En los bosques de este parque destacan los enormes robles (*Quercus* spp.), el candelillo o magnolia (*Magnolia poasana*), especie típica de las montañas altas, los quizarrás o aguacatillos

JUAN CASTRO BLANCO NATIONAL PARK

THIS PARK, ALSO KNOWN IN COSTA RICAN LAW as El Agua National Park, was established to protect a strip of primary and secondary forest between 700 to 2,267 m. It hosts a great diversity of animal and plant species, and guarantees a constant flow of clean water for the headwaters of such important rivers as the Toro, Aguas Zarcas, Guayabo and Platanar. Annual average precipitation is 4,000 mm.

As it is located in the Central Cordillera, the area is volcanic in geomorphologic terms. Among its volcanic edifices – all inactive – is the still-active Platanar Volcano or Congo Volcano, at 2,183 m high, a stratovolcano with a deteriorated crater to the north-west and with prehistoric lava flows; Viejo Volcano, at 2,122 m high, which had fumaroles until 1975; Porvenir Volcano, at 2,267 m high, a stratovolcano with a eroded caldera rim at the top; and the highly eroded caldera of Río Segundo.

The forests in this park contain huge oaks (Quercus spp.), magnolia (Magnolia poasana), a species typical of the high mountains, 'quizarrás' (Ocotea spp. and Nectandra spp.), the 'yos' (Sapium rigidifolium), the small cedar (Brunellia costaricensis) and the white cypress (Podocarpus macros-tachyus). There are large numbers of bromeliads, orchids, palms and ferns.

The fauna is represented by 44 amphibian, 32 reptile, 107 bird and 30 mammal species. Among the amphibians and reptiles are the glass frog (Centrolenella euknemos), basilisk (Basiliscus plumifrons), boa (Boa constrictor) and fer-de-lance (Bothrops asper). Among the birds, the quetzal (Pharomachrus

mocinno), which feeds mainly on small wild avocados, the bat falcon (Falco rufigularis) and the white hawk (Leucopternis albicollis), are the most noteworthy. The mammals include Baird's tapir (Tapirus bairdii), which is the biggest land mammal in the country, tayra (Eira barbara), northern tamandua (Tamandua mexicana), red brocket deer (Mazama americana) and coyote (Canis latrans), besides 5 of Costa Rica's 6 cat species.

LA RIQUEZA DE INVERTEBRADOS es muy notable en este parque nacional, también conocido como Parque Nacional del Agua. Arriba, el apareamiento de dos mariposas.

THERE IS A NOTABLE WEALTH of invertebrates in this national park, also known as El Agua National Park. Above, two butterflies mating.

(Ocotea spp. y Nectandra spp.), el yos (Sapium rigidifolium), el cedrillo macho (Brunellia costaricensis) y el cipresillo (Podocarpus macrostachyus). Las bromeliáceas, las orquídeas, las palmas y los helechos son muy abundantes.

La fauna está representada por 44 especies de anfibios, 32 de reptiles, 107 de aves y 30 de mamíferos. Entre los anfibios y reptiles se encuentran la ranita de vidrio (Centrolenella euknemos), el garrobo (Basiliscus plumifrons), la boa o béquer (Boa constrictor) y la serpiente terciopelo (Bothrops asper). Entre las aves sobresalen el quetzal (Pharomachrus mocinno), que se alimenta principalmente de aguacatillos; el halcón murcielaguero o cuelliblanco (Falco rufigularis) y el busardo o gavilán blanco (Leucopternis albicollis). La mastofauna incluye la danta (Tapirus bairdii), el mayor mamífero terrestre del país, el tolomuco (Eira barbara), el oso colmenero (Tamandua mexicana), el cabro de monte (Mazama americana) y el coyote (Canis latrans), además de 5 de las 6 especies de felinos existentes en Costa Rica.

Algunos hallazgos arqueológicos muestran que la región fue un punto de encuentro de culturas procedentes tanto del norte como del sur del continente americano. Uno de los cacicazgos más importantes de la zona antes de la llegada de los españoles, el de los indios Boto, se extendía hasta el Valle Central, atravesando los territorios de los actuales Parques Nacionales Juan Castro Blanco y Volcán Poás.

Juan Castro Blanco se localiza en la fila La Chocosuela, al extremo oeste de la Cordillera Central. Las carreteras Zarcero-Ciudad Quesada y Ciudad Quesada-Aguas Zarcas-Venecia rodean el parque nacional por el oeste y el norte. El camino lastrado que conduce al proyecto hidroeléctrico Toro II, una de las diez plantas hidroeléctricas que se abastecen del agua producida en el parque, permite observar parte del bosque de la región. Desde la Administración, localizada en San José de la Montaña, tienen su comienzo varios senderos hacia sitios de interés escénico.

ENTRE LAS MÁS DE CIEN ESPECIES de aves que se han censado en este espacio protegido se encuentra el colibrí esmeralda coliazul (arriba). A la derecha, una ranita arborícola.

THE HUNDRED OR SO SPECIES of birds recorded in this protected area includes the garden emerald hummingbird (above). Right, a little tree frog.

204

Archaeological finds indicate that the region was a meeting point for cultures from both North and South of the continent. One of the most important chiefdoms in the area before the Spanish arrived was that of the Boto Indians. It extended as far as the Central Valley, across the territories of the current Juan Castro Blanco and Poás Volcano national parks.

Juan Castro Blanco is situated along the Chocosuela mountain chain at the western end of the Central Cordillera. The Zarcero-Ciudad Quesada and Ciudad Quesada-Aguas Zarcas-Venecia highways go round the park to the West and North. The grit road that leads to the Toro II Hydroelectric Project – one of the 10 stations that are supplied with water from the park – affords views of the forest. From the park's offices in San José de la Montaña several trails lead to interesting sites in the forest.

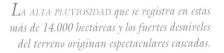

La ALTA PLUVIOSIDAD que se registra en estas más de 14.000 hectáreas y los fuertes desniveles del terreno originan espectaculares cascadas.

THE HIGH RAINFALL over these 14,000 hectares of land and the sudden changes in height give rise to spectacular waterfalls.

PARQUES NACIONALES VOLCÁN ARENAL Y VOLCÁN TENORIO, ZONA PROTECTORA TENORIO Y RESERVA FORESTAL ZONA DE EMERGENCIA DEL VOLCÁN ARENAL

La silueta del volcán Arenal, un cono casi perfecto, puede ser observada desde muchos kilómetros de distancia. Este estratovolcán se mantiene en una continua actividad.

The outline of Arenal Volcano, an almost perfect cone, can be seen from many kilometers away. This stratovolcano is continually active.

EL ARENAL ES UN ESTRATOVOLCÁN de 1.633 m de elevación, de forma cónica casi perfecta y de origen muy reciente, que en 1968 reinició su actividad eruptiva con una fuerte explosión tipo peleano, que produjo flujos piroclásticos o nubes ardientes que provocaron la muerte de unas 78 personas y grandes daños materiales en un área de unas 1.500 ha; esta actividad fue seguida por la emisión de coladas de lava. Como consecuencia de estas explosiones se formaron tres cráteres en su flanco oeste, de los que en la actualidad sólo existen dos. En 1975 tuvo un nuevo paroxismo, con cuatro explosio-

nes que originaron enormes nubes de cenizas. Desde que reinició su actividad ha emitido más de 100 coladas de lava –algunas de las cuales continúan saliendo y avanzando–; sobre algunas de ellas se observa el interesante fenómeno de la sucesión forestal, con abundancia de helechos arborescentes. En la actualidad, el Arenal constituye un gran atractivo turístico por sus magníficas explosiones de moderadas a fuertes, que suceden entre cada 5 a 200 minutos, acompañadas de un retumbo, al mismo tiempo que emite gases y cenizas –que alcanzan hasta 2 km de altura–, y bloques que descienden desde la

VOLCÁN ARENAL AND VOLCÁN TENORIO NATIONAL PARKS, TENORIO PROTECTION ZONE AND EMERGENCY ZONE VOLCÁN ARENAL FORESTAL RESERVE

ARENAL IS A STRATOVOLCANO 1,633 M HIGH, an almost perfect very recently formed cone. In 1968 it began erupting again with a strong pelean explosion which produced flows of pyroclasts or burning clouds that killed 78 people and caused great damage over 1,500 ha. It was followed by lava flows. As a result of the explosions, three craters formed on its western flank, but at the moment there are only two left. In 1975 it shook again, with four explosions that gave rise to vast clouds of ash. Since it began its new lease of life it has given off 100 lava flows – some of which are still emerging and advancing; the interesting phenomenon of forest succession can be seen on some of them, involving plenty of tree ferns. At present Arenal Volcano is a great tourist attraction for its awe-inspiring moderate to strong explosions every 5 to 200 minutes, accompanied by a roar and gas and ash emissions up to 2 km in the air and blocks shed from the top, their incandescence providing a great night-time spectacle. Occasionally, small flows of pyroclasts at over 200° C temperature slid down the sides of the volcano.

En las proximidades de la laguna Arenal, de gran importancia hidrológica para el país, se han formado una serie de zonas pantanosas rodeadas de densos bosques húmedos.

In the environs of Arenal Lagoon, which is of great hydrological importance to the country, a series of swamps have formed surrounded by thick moist forests.

cima y cuya incandescencia constituye un gran espectáculo nocturno. Igualmente, de forma ocasional, pequeños flujos piroclásticos de más de 200° C de temperatura descienden por sus laderas.

El Tenorio, de 1.916 m de altura, está constituido por un macizo volcánico compuesto de cuatro conos adosados, por otras estructuras como domos volcánicos y cráteres de explosión, y por dos cráteres gemelos identificados como el volcán Montezuma. Todo el macizo cubre una extensión de unos 225 km². De los conos Tenorio-Montezuma se han derramado diversas coladas de lava que son fácilmente reconocibles. El Tenorio no ha tenido actividad en tiempos históricos, y en la actualidad presenta actividad geotérmica y solfatárica, con fuerte olor sulfuroso en el flanco noreste, a 965 m, en el sitio

conocido como Los Quemados. A 1 km al norte del anterior, en el sitio denominado La Casa y también en las márgenes del río Roble, en el lugar denominado Hervideros, existen igualmente focos termales. Actualmente se hacen estudios para el aprovechamiento de la energía geotérmica en los alrededores de este volcán.

El volcán Chato, de 1.140 m de altura, que es parte del Parque Arenal, constituye un cono truncado que tiene en su parte superior un cráter de explosión de unos 500 m de diámetro, ocupado por una laguna oblonga de aguas verde-azuladas de unos 18 m de profundidad. Se conoce que la última actividad de este volcán tuvo lugar hace unos 3.500 años. Su forma truncada se debe a explosiones paroxismales que destruyeron su parte superior.

En el Área de Conservación Arenal-Tempisque se han identificado 3.451 especies de flora y 2.459 de fauna, de las que el 1% y el 5%, respectivamente, son endémicas. A este notable valor biológico se agrega el energético. Aprovechando la existencia de cuencas hidrográficas cubiertas de bosques y las condiciones particulares de la zona, se construyó el complejo hidroeléctrico Arenal, el más grande del país, que consta de tres plantas generadoras, Arenal, Sandillal y Corobicí; aquí se genera el 40% de toda la electricidad que se consume en Costa Rica. La cuenca del embalse Arenal fue incorporada a la Lista de Humedales de Importancia Internacional de Ramsar en el año 2000.

Ambos parques están principalmente cubiertos por bosques húmedos y muy húmedos perennifolios, muy alterados en el Arenal por la actividad volcánica. La cima del Chato y la cima y las vertientes este y oeste del Tenorio conservan extensos bosques primarios. Algunas de las especies más representativas de estos bosques son el leche amarilla *(Pouteria congestifolia)*, el

Tenorio Volcano, 1,916 m high, includes a volcanic massif comprising four adjoining cones, other structures such as volcanic domes and twin explosion craters identified as Montezuma Volcano. The entire massif covers 225 km². Several lava flows that have issued from the Tenorio-Montezuma cones are easy to make out. Tenorio Volcano has not been active in historic times, and at present shows geothermal and solfataric activity, with a strong smell of sulphur on the north-eastern flank, at 965 m, at the site known as Los Quemados. 1 km to the north, at La Casa, also on the banks of the River Roble, in the place known as Hervideros, there are more thermal points. Studies are currently being conducted on how to harness the geothermal energy in the environs of this volcano.

Chato Volcano, at 1,140 m high, which is part of Arenal Park, is a truncated cone whose upper section contains a 500m-diameter explosion crater enclosing an oblong lake with greeny-blue water 18 m deep. It was known to have been active roughly 3,500 years ago. Its truncated shape is due to paroxysmal explosions having destroyed its upper part.

In Arenal Conservation Area, 3,451 flora species and 2,459 animal species have been identified, of which 1% and 5%, respectively, are endemic. Besides biological value, it is valuable in terms of energy. The Arenal hydroelectric complex, the largest in the country, was built by taking advantage of the existence of the forest-clad drainage basins and the special conditions in the area. Its three generating stations – Arenal, Sandillal and Corobicí – produce 40.4% of all the electricity consumed in the country. The basin of Arenal Reservoir was included on the Ramsar List of Wetlands of International Importance in 2000.

Both parks are largely covered in moist and very moist perennial forests. In Arenal Park they have been much altered by volcanic activity. The top of El Chato and the top of the eastern and

western slopes of Tenorio volcano conserve extensive primary forests. Some of the most representative species of these forests are the yellow milk (Pouteria congestifolia), the wild atta (Sloanea faginea), the freijo (Cordia alliodora), 'aguacatillos' (Nectandra spp.) which is very abundant, and the stone (Coccoloba tuerckheimii). One botanical curiosity on Tenorio Volcano and endemic to the Cordillera de Guanacaste is the 'cacho' (Parmenteria valerii), which has fruits similar to large cucumbers growing directly out of the bark. On all three volcanoes there are many orchids, bromeliads, ferns, heliconias and palms.

La laguna del Arenal, a los pies del volcán del mismo nombre, fue incluida en la Lista de Humedales de Importancia Internacional de la Convención de Ramsar en el año 2000.

Arenal Lagoon, at the foot of the volcano of the same name, was included on the Ramsar Convention List of Wetlands of International Importance in 2000.

terciopelo *(Sloanea faginea)*, el laurel *(Cordia alliodora)*, los aguacatillos *(Nectandra* spp.) –muy abundantes– y el piedra *(Coccoloba tuerckheimii)*. Una curiosidad botánica endémica de la Cordillera de Guanacaste y presente en el volcán Tenorio es el árbol cacho o costilla de danto *(Parmentiera valerii)*, cuyos frutos, semejantes a pepinos de gran tamaño, crecen directamente del tronco. En los tres volcanes son muy abundantes las orquídeas, las bromelias, los helechos, las heliconias y las palmas.

Algunas de las especies de fauna presentes son el pavón norteño *(Crax rubra)*, el oso caballo *(Myrmecophaga tridactyla)*, la danta *(Tapirus bairdii)*, el tepezcuintle *(Agouti paca)*, el jaguar *(Panthera onca)*, el cariblanco *(Pecari pecari)* y el mono congo *(Alouatta palliata)*. Se encuentran también en los tres volcanes la boa constrictora *(Boa constrictor)* y hasta cinco especies de serpientes venenosas.

La Reserva Forestal Zona de Emergencia del Volcán Arenal, establecida tras la erupción de 1968, comprende la vertiente norte y noreste del edificio del volcán, en la que se observan coladas de lava, bosques secundarios –que muestran abundantes bromelias– y algunos potreros. Colindante con el Arenal se encuentra la Zona Protectora Tenorio, en la cual existen varias lagunas de origen volcánico, como el lago Cote. Esta zona protectora conserva bosques primarios intervenidos, bosques secundarios y pastos con árboles; aquí se pueden observar la bella tigana o garza del sol *(Eurypyga helias)* y el pájaro sombrilla cuellicalvo *(Cephalopterus glabricollis)*, de color negro y con una cresta en forma de sombrilla en el macho.

Un sitio de gran belleza en el Parque Tenorio es la catarata del río Celeste, con aguas de este color; existen también aguas termales. Los volcanes Arenal y Tenorio forman parte de la Cordillera de Guanacaste. Al Parque Nacional Volcán Arenal se accede vía San José-San Ramón-La Fortuna-Volcán, por carretera pavimentada. El Parque Nacional Volcán Tenorio tiene acceso tomando un desvío que sale de la carretera que conduce a Upala. En ambos parques existen senderos que conducen a sitios de interés geológico y natural, y en el Arenal hay un mirador y sitios para almorzar.

The animal species found here include: great curassow *(Crax rubra)*, giant anteater *(Myrmecophaga tridactyla)*, Baird's tapir *(Tapirus bairdii)*, paca *(Agouti paca)*, jaguar *(Panthera onca)*, peccary *(Tayassu pecari)* and howler monkey *(Alouatta palliata)*. The three volcanoes are also home to the boa constrictor *(Boa constrictor)* and five species of poisonous snakes.

Volcán Arenal Emergency Zone Forest Reserve, which was set up in 1968 after the eruption, covers the north and north-eastern slopes of the volcanic edifice. There are lava flows, secondary forest – with lots of bromeliads – and some farmland. Adjoining Arenal is Tenorio Protection Zone containing several volcanic lagoons, e.g. Lake Cote. It conserves disturbed primary forest, secondary forest and grassland with trees; you can see the lovely sunbittern *(Eurypyga helias)* and the bare-necked umbrella bird *(Cephalopterus glabricollis)*, the male of which has an umbrella-shaped crest.

Tenorio Park can boast a lovely waterfall on the River Celeste, with its sky blue water. There are also thermal waters. Arenal and Tenorio volcanoes are part of the Cordillera de Guanacaste. Visitors can get to Volcán Arenal National Park via San José-San Ramón-La Fortuna-Volcano along an asphalted road. Volcán Tenorio National Park can be accessed along a turn-off from the road to Upala.

La imagen del volcán Arenal vertiendo bloques incandescentes por sus laderas (arriba) constituye un espectáculo sorprendente. Abajo, una vista de su cono volcánico desde la laguna del Arenal.

The slopes of Arenal Volcano showered in incandescent blocks (above) are an amazing spectacle. Below, a view of its volcanic cone from Arenal Lagoon.

REFUGIO NACIONAL DE VIDA SILVESTRE CAÑO NEGRO

Un área lacustre y terrenos pantanosos formados por sedimentación aluvial integran este refugio de vida silvestre, que fue incorporado a la Lista de Humedales de Importancia Internacional de Ramsar en 1991. El lago estacional de Caño Negro, de unas 800 ha de superficie y de unos 3 m de profundidad, es un área de rebalse del río Frío. En este refugio existen cinco hábitats principales: la vegetación de los bordes de la laguna y a lo largo de los caños, principalmente herbácea, constituida por pastos como el gamalote (*Paspalum fasciculatum*); la vegetación riberina, con árboles como el sotacaballo (*Zygia longifolia*) y el bala de cañón (*Couroupita nicaraguarensis*); los marillales, áreas con vegetación muy homogénea formados principalmente por el maría (*Calophyllum brasiliense*) y la palma real (*Attalea butyracea*); los yolillales, en los que domina la palma yolillo (*Raphia taedigera*), y el bosque mixto, constituido por especies como el botarrama (*Vochysia ferruginea*) y el pilón (*Hyeronima alchorneoides*). La avifauna es rica y diversa; la colonia de cormoranes biguá (*Phalacrocorax olivaceus*) que nidifica aquí es la más grande del país. En el refugio se encuentran el pez gaspar (*Atractosteus tropicus*), un fósil viviente, y la única población permanente del país del clarinero nicaragüense (*Quiscalus nicaraguensis*), ave endémica de la cuenca del lago de Nicaragua.

REFUGIO NACIONAL DE VIDA SILVESTRE LAGUNA LAS CAMELIAS

Humedal palustrino que incluye a esta laguna, bordeada por yolillales –formados por la palma yolillo (*Raphia taedigera*)– y por bosques anegados. Estas florestas sirven como área de alimentación y reproducción para unas 240 especies de aves, entre ellas la cerceta aliazul o zarceta (*Anas discors*), el suirirí piquirrojo o piche piche (*Dendrocygna autumnalis*) y el tántalo americano o garzón (*Mycteria americana*). Dos especies en peligro de extinción que se encuentran aquí son el pato real (*Cairina moschata*) y el jabirú americano o galán sin ventura (*Jabiru mycteria*). Los caimanes (*Caiman crocodilus*) son muy abundantes. Algunos caminos de tierra que parten de Upala permiten acceder hasta esta laguna.

REFUGIO NACIONAL DE VIDA SILVESTRE CORREDOR FRONTERIZO COSTA RICA-NICARAGUA

Se extiende como un corredor biológico de 2 km de ancho a lo largo de la frontera con Nicaragua, desde punta Castilla, en el Caribe, hasta bahía Salinas, en el Pacífico. Conecta el Área de Conservación Tortuguero con los humedales de Tamborcito y Maquenque, las reservas forestales

El Refugio Nacional de Vida Silvestre Caño Negro es un importante humedal que desde el año 1991 forma parte de la Lista de Humedales de Importancia Internacional de la Convención de Ramsar. A la derecha, un bando de garcetas grandes y una vista general del refugio.

Caño Negro National Wildlife Refuge is an important wetland, which since 1991 has featured on the Ramsar Convention's List of Wetlands of International Importance. Right, a flock of great egrets and a general view of the refuge.

Caño Negro National Wildlife Refuge

Lakes and swamp land formed from alluvial sedimentation comprise this wildlife refuge, which has been included on the Ramsar List of Wetlands of International Importance in 1991. The seasonal lake of Caño Negro, some 800 ha in area and 3 m deep, is a dammed part of the Frío River. There are five main habitats in this refuge. The vegetation on the edges of the lake and along the channels chiefly herbaceous consisting of grassland such as gamalote *(Paspalum fasciculatum)*; riverine vegetation, with trees such as 'sotacaballo' *(Zygia longifolia)* and 'bala de cañón' *(Couroupita nicaraguarensis)*. The patches of Santa María forest have very homogeneous vegetation chiefly made up of Santa Maria *(Calophyllum brasiliense)* and royal palm *(Attalea butyracea)*. There are stands of raffia palms *(Raphia taedigera)* and mixed forest consisting of species such as 'botarrama' *(Vochysia ferruginea)* and 'pilón' *(Hyeronima alchorneoides)*. The birdlife is rich and varied. The colony of olivaceous cormorants *(Phalacrocorax brasilianus)* that nest here is the biggest in the country. This refuge hosts the fish known as tropical gar *(Atractosteus tropicus)*, a living fossil, and the only permanent population of Nicaraguan grackle *(Quiscalus nicaraguensis)*, a bird endemic to the basin of Nicaragua Lake.

Las Camelias Lagoon National Wildlife Refuge

This palustrine wetland includes lagoon bordered by raffia stands – almost exclusively made up of raffia palm *(Raphia taedigera)* – and flooded forests. These forests serve as a feeding and breeding area for 240 species of birds, including blue-winged teal *(Anas discors)*, black-bellied whistling duck *(Dendrocygna autumnalis)* and wood stork *(Mycteria americana)*. Two threatened species found here are the muscovy duck *(Cairina moschata)* and the jabiru *(Jabiru mycteria)*. There are lots of caymans *(Caiman crocodilus)*. Dirt roads run from Upala to the lagoon.

Corredor Fronterizo Costa Rica-Nicaragua National Wildlife Refuge

It extends as a 2 km-wide biological corridor along the frontier with Nicaragua from Castilla Point in the Caribbean as far as Salinas Bay in the Pacific, connecting the Tortuguero Conservation Area with the wetlands of Tamborcito and Maquenque, the El Jardín and La Cureña Forest Reserves and the Guanacaste Conservation Area. This refuge, which is partially disturbed, includes beaches, dry forests, wetlands, moist forests and coastal lagoons.

El Jardín y La Cureña y el Área de Conservación Guanacaste. Este refugio, parcialmente alterado, incluye playas, bosques secos, humedales, bosques húmedos y lagunas costeras.

RESERVA FORESTAL CERRO EL JARDÍN

Protege un remanente del bosque muy húmedo que existía todo a lo largo de la margen costarricense del río San Juan. Algunos de los árboles más abundantes aquí son el gavilán (*Pentaclethra macroloba*), el botarrama (*Vochysia ferruginea*) y el fruta dorada (*Virola koschny*). Esta reserva constituye un refugio para los guacamayos macao o lapas rojas (*Ara macao*) y para los guacamayos ambiguos o lapas verdes (*Ara ambigua*). Los caños Jardín y Chile, que desembocan al río San Juan, permiten recorrer esta área en bote.

RESERVA FORESTAL LA CUREÑA

Protege el remanente de mayor extensión de bosque muy húmedo que existe a lo largo de la margen derecha del río San Juan. La vegetación está constituida por algunas lagunas, pantanos herbáceos, yolillales, formados por la palma yolillo (*Raphia taedigera*); y bosques altos, donde sobresalen enormes árboles de ceiba (*Ceiba pentandra*), guayabo de charco (*Terminalia bucoides*), almendro (*Dipteryx panamensis*) y guácimo colorado (*Luehea seemannii*). Esta reserva forestal constituye un excelente refugio para el guacamayo ambiguo o lapa verde (*Ara ambigua*), especie

en peligro de extinción. La mejor forma de conocer esta reserva es navegar por el río San Juan, y penetrar por cualquiera de la infinidad de ríos y quebradas que la recorren.

REFUGIO NACIONAL DE VIDA SILVESTRE MAQUENQUE

Está constituido por tres depresiones lacustres, una de las cuales es la laguna Maquenque, y por lomas bajas, en las que existe un bosque, en su mayoría primario, constituido por especies como el almendro (*Dipteryx panamensis*) y el campano (*Sacoglottis trichogyna*), cuyos frutos son muy apreciados por las aves. Algunos de los mamíferos también muy amenazados de extinción que habitan este humedal son el manigordo (*Leopardus pardalis*) y el manatí (*Trichechus manatus*). Este refugio es parte del Corredor Biológico San Juan-La Selva. Una carretera de tierra, transitable sólo en época de poca lluvia, que parte de Boca Tapada, en la Zona Norte, ofrece acceso a este refugio.

HUMEDAL LACUSTRINO DE TAMBORCITO

Está formado por un grupo de ocho lagunas de poca extensión que han conservado su biodiversidad sin alteraciones. Es también uno de los pocos hábitats que protegen al manatí (*Trichechus manatus*), una especie en grave peligro de extinción en toda Mesoamérica. La mejor forma de visitar algunas de estas lagunas es navegar por el caño Tamborcito, que desemboca en el río San Juan.

De izquierda a derecha, una garza azulada entre la vegetación palustre, un bando de suiríris en el Humedal Tamborcito, y detalle de la vegetación característica de esta zona de conservación.

From left to right, a great blue heron amidst the palustrine vegetation, a flock of whistling ducks at Tamborcito Wetland, and part of the vegetation typical of this conservation area.

Cerro El Jardín
Forest Reserve

It protects a remnant of very moist forest that existed along the entire Costa Rican edge of the San Juan River. Some of the most common trees here are 'gavilán' *(Pentaclethra macroloba),* 'botarrama' *(Vochysia ferruginea)* and banak *(Virola koschny).* This reserve is a refuge for scarlet macaws *(Ara macao)* and great green macaws, otherwise known as Buffon's macaw *(Ara ambigua).* It is possible to travel through this area by boat along the Jardín and Chile streams, which flow into the River San Juan.

La Cureña
Forest Reserve

It protects the largest remnant of very moist forest on the right bank of the San Juan River. The vegetation consists of some lakes, herbaceous swamps, raffia palm stands *(Raphia taedigera),* and tall forest with outstanding enormous silk cotton trees *(Ceiba pentandra),* black guayabo *(Terminalia bucoides),* wild almond tree *(Dipteryx panamensis)* and cotonron *(Luehea seemannii).* This forest reserve is an excellent refuge for the endangered great green macaw *(Ara ambigua).* The best way to get to know the reserve is to take a boat on the San Juan River and go along one of the countless rivers and streams that crisscross the area and discharge into the river.

Maquenque Lagoon
Palustrine Wetland

This consists of three lacustrine depressions of which one is Maquenque Lagoon, and of low hillocks with mainly primary forest made up of species like wild almond tree *(Dipteryx panamensis),* and the 'campano' *(Sacoglottis trichogyne),* whose fruits are much appreciated by birds, especially the green macaw *(Ara ambigua),* and the endangered turkey's tail *(Hymenolobium mesoamericanum).* Some of the very threatened mammals that live in this wetland are the ocelot *(Leopardus pardalis)* and the West Indian manatee *(Trichechus manatus).* This refuge is part of the San Juan-La Selva Biological Corridor. A dirt road runs from Boca Tapada in the Northern Sector to the refuge, but is only passable in periods of low rainfall. The best way to visit this protected area is to take a boat along the Cureña Channel, which discharges into the San Juan River.

Tamborcito Lacustrine Wetland

It consists of a group of eight small lagoons that have conserved their biodiversty undisturbed. It is also one of the few habitats that provide protection for West Indian manatees *(Trichechus manatus),* a highly threatened species throughout Central America. The best way to visit some of these lagoons is by boat along the Tamborcito Channel, which discharges into the San Juan river.

iSLA DEL COCO

La isla del Coco fue declarada Patrimonio Mundial por la UNESCO en el año 1997. A la derecha, dos de las innumerables cascadas que se forman en los abruptos acantilados de la isla y, a la izquierda y abajo, una gigantesca manta raya y un pomacéntrido muestran la gran riqueza del medio marino que la rodea.

Coco Island was declared a World Heritage site by UNESCO in 1997. On the right, two of the countless waterfalls on the island's steep cliffs and, on the left and below, a huge manta ray and a pomacentrid fish are examples of the great richness of the surrounding marine environment.

Parque Nacional Isla del Coco

Este edificio volcánico, de abrupta topografía y una altísima pluviosidad se caracteriza por sus sinuosas costas con grandes acantilados y numerosas cuevas submarinas.

This volcanic edifice, with its rugged terrain and extremely high rainfall, features sinuous winding coasts, tall cliffs and many underwater caves.

La Isla del Coco, un "bouquet de verdor en medio de los mares", como ha sido llamada, se encuentra a unos 500 km al suroeste de Cabo Blanco, en la costa pacífica de Costa Rica. Este país tomó posesión de esta isla el 15 de septiembre de 1869. Fue declarada por la UNESCO como Sitio del Patrimonio Mundial en 1997 e incorporada a la Lista de Humedales de Importancia Internacional de Ramsar en 1998.

Geológicamente, se trata de un volcán apagado de sólo 2 millones de años de antigüedad, constituido por coladas de lavas, diques y rocas piroclásticas. Es el único edificio volcánico que sobresale del nivel del mar de la dorsal asísmica o cordillera volcánica del Coco, que se extiende desde las islas Galápagos hasta la fosa Mesoamericana, frente a punta Burica-Quepos. Fue descubierta por el piloto español Juan Cabezas hacia el año 1526, y ya para 1556 figuraba en el planisferio de Desliens con el nombre de Isla de los Cocos. Es famosa mundialmente gracias a los tres tesoros que fueron escondidos en ella por William Davies, Benito "Espada Sangrienta" Bonito, y William Thompson, entre los años 1684 y 1821. El llamado tesoro de Lima, que escondió Thompson, es el más valioso de todos, porque incluye monedas de oro y una imagen de la Virgen y el Niño, de tamaño natural, en oro puro. Un interesante vestigio cultural existente son las inscripciones sobre rocas que datan del siglo XIX.

La topografía de la isla es abrupta, por lo reciente de su formación y el fuerte oleaje favorecido por las aguas profundas que la rodean. Esta condición y los 5.500-7.000 mm de precitación media anual originan condiciones propicias para la existencia de numerosos saltos de agua, algunos de los cuales caen de manera espectacular al mar desde altos acantilados de rocas volcánicas. Existe una condición de nubosidad casi permanente, principalmente en su punto culminante, el cerro Iglesias, de 575 m de altitud. Se han contado unas 50 cavernas formadas por el mar alrededor de toda la isla, y los arcos y los islotes son también muy numerosos.

La isla está cubierta por un bosque tropical pluvial siempreverde que presenta afinidad con la provincia fitogeográfica guyano-amazónica. Los árboles más abundantes son el copey (*Clusia rosea*), la palma *Euterpe precatoria*, el guarumo (*Cecropia pittieri*) y el palo de hierro (*Sacoglottis holdridgei*) –estos dos últimos endémicos. Muy notables son los helechos arborescentes, de los que existen tres especies: *Cyathea alphonsiana, C. notabilis* y

COCO ISLAND NATIONAL PARK

I SLA DEL COCO, 'A BOUQUET OF GREENERY BETWEEN THE SEAS' as it has been called, is located 500 km south-west of Cabo Blanco on the Pacific coast of Costa Rica. Costa Rica took possession of this island on 15 September 1869. It was declared a World Heritage Site by UNESCO in 1997, and included on the Ramsar List of Wetlands of International Importance in 1998.

In geological terms, it is an inactive volcano, just 2 million years old, with lava flows, volcanic dikes and pyroclastic rock. It is the only volcanic edifice above sea level on the aseismic spine of the volcanic cordillera of El Coco, which stretches from the Galapagos Islands to the Mesoamerican Trench off Burica-Quepos Point.

Discovered by the Spanish navigator Joan Cabezas around 1526, by 1556 it already appeared on Desliens's map under the name Isla de los Cocos. It is famous worldwide for the three sets of treasure hidden there by William Davies, Benito 'Bloody Sword' Bonito and William Thompson between 1684 and 1821. The so-called treasure of Lima, which Thompson hid, is the most valuable of all because it includes gold coins and a life-size image of the Virgin and Child in pure gold. Inscriptions on rocks dating from the nineteenth century are interesting cultural remains.

The island's terrain is abrupt due to its recent formation and the strong waves created by the deep waters surrounding it. This fact and the 5,500-7,000 mm of annual precipitation provide the right conditions for waterfalls, some of which plunge spectacularly into the sea from tall cliffs of volcanic rock. There is almost permanent cloud, especially at the very top on Iglesias

Hill 575 m. About 50 caves carved out of the rock by the sea have been counted around the island, and there are also large numbers of arcs and islets.

The island is covered in evergreen tropical rainforest similar to that found in the Guianan-Amazonian phytogeographic province. The most common trees are the 'copey' (*Clusia rosea*), the palm *Euterpe precatoria*, 'guarumo' (*Cecropia pittieri*) and 'palo de hierro' (*Sacoglottis holdridgei*), the last two being endemic. The eye-catching tree-ferns come in three species: *Cyathea alphonsiana*, *C. notabilis* and *Trichipteris nesiotica*, along with the endemic orchid *Epidendrum insularum*. 74 species of ferns and related species have been identified along with 54 types of moss, 106 hepaticas, 85 basidiomycete fungi, 56 types of moss and 99 folicolous lichens. *Chloris paniculata* is an endemic grass species growing on the islands. The endemicity rate ranges from 3% to 40%, depending on the class or family of plants or animals.

En el año 2002 la UNESCO amplió la zona marina de este sitio del Patrimonio Mundial, que pasó de tener 977 km² a cubrir 1.997 km². Arriba, el llamativo pez botete bonito.

In 2002, UNESCO broadened the marine area of this World Heritage site, which increased from 977 km² to 1,997 km². Above, the striking fish 'botete bonito'.

Trichipteris nesiotica, y la orquídea endémica *Epidendrum insularum*. Se han identificado también 74 especies de helechos y afines, 54 de musgos, 106 de hepáticas, 85 de hongos basidiomicetos, 56 de musgos y 99 de líquenes folícolos. Un pasto endémico que crece sobre los islotes es *Chloris paniculata*. En general, el nivel de endemismo oscila entre un 3% y un 40%, dependiendo de la clase o familia de plantas o animales que se trate.

Se han censado 111 especies de aves, de las que 32 son pelágicas, 39 son correlimos, garzas y afines, y 40 son terrestres. En general, la avifauna de la isla está constituida por 98 especies migradoras –la mayoría neárticas– y por 13 residentes, entre las que se incluyen tres endémicas: el cuclillo de la Isla del Coco (*Coccyzus ferrugineus*), el mosquerito de la Isla del Coco (*Nesotriccus ridgwayi*) y el pinzón de la Isla del Coco (*Pinaroloxias inornata*). Los rabihorcados o tijeretas de mar (*Fregata magnificens* y *F. minor*), los piqueros patirrojos (*Sula sula*) y los charranes blancos o palomitas del Espíritu Santo (*Gygis alba*) son muy comunes. Se han identificado también dos reptiles endémicos, la lagartija *Norops townsendi* y el geco *Sphaerodactylus pacificus*, tres especies de arañas, 50 de crustáceos, unas 600 de moluscos marinos –con un nivel de endemismo del 15%–, 450 de insectos y artrópodos, una especie de mariposa nocturna residente, un escorpión endémico, *Opisthacanthus valerioi*, y 5 especies de peces de agua dulce, de las que dos son endémicas. No existen mamíferos nativos. Algunas especies introducidas, como cerdos, gatos y ratas producen graves daños a la fauna y flora autóctona y deben ser erradicadas.

La extraordinaria diversidad marina de la isla, que incluye especies del continente, del Pacífico Central y Occidental y del Índico, se debe al efecto de las corrientes marinas que la convierten en un punto de convergencia. Los arrecifes de coral que rodean la isla incluyen 33 especies de corales, donde *Porites lobata*, que alcanza hasta 5 m de alto, es el más abundante. También está presente la estrella *Acanthaster planci*, el principal enemigo natural del arrecife ya que se alimenta de corales. En sus azules y transparentes aguas viven o pasan en migración tortugas marinas, ballenas y cachalotes, leones marinos y unas 300 especies de peces, incluyendo 13 de tiburones. Los enormes tiburones martillo (*Sphyrna lewini*) y los de aleta de punta blanca (*Triaenodon obesus*) son muy abundantes, y se han visto también los tiburones ballena (*Rhincodon typus*), los peces más grandes del mundo, además de enormes e impresiónantes mantarrayas (*Manta birostris*). La isla constituye uno de los seis mejores lugares del mundo para observar al tiburón martillo, que a veces forma agrupaciones de hasta 500 individuos.

El acceso a la isla se hace por vía marítima. En Puntarenas se pueden contratar barcos o veleros. El viaje se realiza en 36 horas aproximadamente, hasta las bahías Wafer o Chatham, que presentan buenas condiciones para anclar. En la isla existen senderos que conducen a miradores y otros sitios de interés.

La enorme biodiversidad de las aguas que rodean la isla del Coco se fundamenta en la interrelación existente entre los arrecifes de coral que la rodean y las profundas aguas transparentes de su entorno. Abajo, un enorme mero.

The huge biodiversity of the water around Isla del Coco is based on the existing interrelationship between the nearby coral reefs and the deep clear water in the surrounding area. Below, an enormous grouper.

111 bird species have been recorded, of which 32 are pelagic, 39 are shorebirds and waders, and 40 terrestrial. In general terms the island birdlife consists of 98 migratory species – mostly neartic – and 13 sedentary, including three endemic species: Cocos Island cuckoo *(Coccyzus ferrugineus)*, Cocos flycatcher *(Nesotriccus ridgwayi)* and Cocos Island finch *(Pinaroloxias inornata)*. Magnificent frigatebirds *(Fregata magnificens* and *F. minor)*, red-footed boobies *(Sula sula)* and fairy terns *(Gygis alba)* are very common. Two endemic reptiles – the lizard *Norops townsendi* and the gecko *Sphaerodactylus pacificus* – have been identified, as well as 3 species of spider, 50 types of crustaceans, about 600 marine molluscs – with an endemicity level of 15%. There are 450 species of insects and arthropods; a resident species of moth; an endemic scorpion, *Opisthacanthus valerioi,* and 5 species of freshwater fish, of which two are endemic. There are no native mammals. Some introduced species, such as pigs, cats and rats, have caused serious damage to native fauna and flora and must be eradicated.

The island's extraordinary marine diversity, which includes continental species and species from the Central and Western Pacific and the Indian Ocean, is due to the effects of the sea currents, which make it a point of convergence. The reefs surrounding the island include 33 species of coral, *Porites lobata,* which can reach 5 m high, being most common. Also present is the crown-of-thorns starfish *(Acanthaster planci)*, the chief natural enemy of the reef as it feeds on coral. Sea turtles, whales and sperm whales, sea lions and about 300 fish species, including 13 kinds of shark live in the clear blue waters or pass through on migration.

Huge scalloped hammerhead sharks *(Sphyrna lewini)* and whitetip reef shark *(Triaenodon obesus)* occur in large numbers

and whale sharks *(Rhincodon typus)*, one of the world's largest fish, have been seen. There are also impressively big manta rays *(Manta birostris)*. The island is one of the six best sites in the world for watching scalloped hammerheads, which sometimes form shoals of up to 500 individuals.

The island is reached by sea. In Puntarenas you can hire boats and sailing vessels. The trip takes roughly 36 hours to Wafer Bay or Chatham Bay, both of which have good anchorages. On the island, trails lead to viewing points and other interesting sites.

La isla del Coco se encuentra tapizada por un bosque siempreverde muy denso con un sotobosque en el que la gran humedad existente permite el desarrollo de numerosos helechos.

Coco Island is cloaked in very thick evergreen forest with an undergrowth in which high humidity encourages the growth of large numbers of ferns.

Bibliografía / Bibliography

Acosta, L.G. 1998. *Análisis de la composición florística y estructura para la vegetación del piso basal de la Zona Protectora La Cangreja, Mastatal de Puriscal.* Informe de Práctica de Especialidad. Cartago, Instituto Tecnológico de Costa Rica. 69 p.

Alvarado, F.A. 2001. *Interpretación del sendero natural Plinia, ubicado en la Zona Protectora La Cangreja, Mastatal, Costa Rica.* Seminario de Diplomado en Agroecoturismo. Atenas, Escuela Centroamericana de Ganadería. 101 p.

Alvarado, G.E. 1989. *Los volcanes de Costa Rica.* San José, C.R., Universidad Estatal a Distancia. 175 p.

Alvarado, G.E. 2000. *Volcanes de Costa Rica.* San José, Editorial Universidad Estatal a Distancia. 269 p.

Alvarado, G.E.; Cárdenas, G.; Alvarado, F.; Murillo, J. & Arias, M. 2002. *Utilización de rocas ornamentales en Costa Rica desde tiempos precolombinos hasta el siglo XX.* Revista Geológica de América Central no. 26:39-51.

Arce, M. 2005. *Los Quetzales nace como un nuevo parque nacional.* La Nación, San José (C.R.); Julio 14:19A.

Arcos, A. 2005. *Estado de conservación de la Lora Nuca Amarilla (Amazona auropallita) en la Zona Protectora Tivives, Puntarenas, Costa Rica.* Zeledonia 9(1):35-37.

Arguedas, S. 1997. *Comunicación personal.* San José, C.R., Ministerio del Ambiente y Energía.

Barquero, L. 1997. *Comunicación personal.* Puerto Jiménez, C.R., Ministerio del Ambiente y Energía.

Baumgartner-Mora, C. & Denyer, P. 2002. *Campanian-maastrichtian limestone with larger foraminifera from Peña Bruja rock (Santa Elena peninsula).* Revista Geológica de America Central no. 26:85-89.

Bolaños, R. 1984. *Serpientes, venenos y ofidismo en Centroamérica.* San José, C.R., Editorial Universidad de Costa Rica. 136 p.

Boza, M.A. 1984. *Guía de los parques nacionales de Costa Rica.* Madrid, INCAFO. 128 p.

Boza, M.A. 1992. *Parques nacionales, Costa Rica, national parks.* Madrid, INCAFO. 333 p.

Boza, M.A. 1993. *Conservation in action: past, present and future of the national park system of Costa Rica.* Conservation Biology 7(2):239-247.

Bussing, W.A. 1987. *Peces de las aguas continentales de Costa Rica.* San José, C.R., Editorial de la Universidad de Costa Rica. 271 p.

Campos, M. 1992. *Proyecto de Conservación y Desarrollo Arenal; diagnóstico sectorial biológico.* San José, C.R., Ministerio de Recursos Naturales, Energía y Minas. 116 p.

Castro B. 1996. *Áreas de Conservación y sus Parques Nacionales.* San José. 68 p.

Castro, L. 1997. *Comunicación personal.* Heredia, C.R., Universidad Nacional.

Causey, D. & Trimble, J. 2005. *Aves de la región pacífica del noroeste de Costa Rica.* Zeledonia 9(1):38-54.

Cevo, J.H. 1994. *Recomendaciones básicas a partir de los principales rasgos ambientales del río Para Grande.* San José, C.R., Universidad Latinoamericana de Ciencia y Tecnología. 66 p. (Informe técnico).

Chavarría, M.M. 2003. *Comunicación personal.* Guanacaste, C.R., Parque Nacional Santa Rosa.

Chaverri, A. 1979. *Análisis de un sistema de reservas biológicas privadas en Costa Rica.* Tesis de M. Sc. Universidad de Costa Rica. 279 p.

Chávez, S. 1995. *Área de Conservación Tempisque: evaluación de los recursos culturales.* San José, C.R., Universidad de Costa Rica. 42 p.

Chávez, S. 1995. *Evaluación del estado de los recursos culturales del Área de Conservación Arenal.* San José, C.R., Universidad de Costa Rica. 38 p.

Chávez, S. 1995. *Evaluación del estado de los recursos culturales del Área de Conservación Pacífico Central.* San José, C.R., Universidad de Costa Rica. 22 p.

Chávez, S. 1997. *Comunicación personal.* San José, C.R., Universidad de Costa Rica.

Chávez, S.; Fonseca, O. & Baldi, N. 1996. *Investigaciones arqueológicas en la costa Caribe de Costa Rica, América Central.* Revista de Arqueología Americana no. 10:40-45.

Córdoba, R.; Romero, J. C. & Windevoxhel, N. J., eds. 1998. *Humedales de Costa Rica.* San José, Unión Mundial para la Naturaleza. 380 p.

Cornelius, S.E. 1981. *Status of sea turtles along the Pacific coast of Middle America.* In Bjorndal, K.A., ed. Biology and Conservation of sea turtles. Washington, DC, Smithsonian Institution Press. p. 211-219.

Corrales, F. & Odio, E. 1990. *Junquillal, golfo de Santa Elena; un sitio costero del polícromo tardío.* San José, C.R., Museo Nacional. 12 p.

Cortes, J.; Soto, R. & Jiménez, C. 1994. *Efectos ecológicos del terremoto de Limón.* Revista Geológica de América Central, vol. esp., Terremoto de Limón. pp. 187-192.

Dayton, D. A. 1944. *Copey oak in Costa Rica.* Agriculture in the Americas 4(7):134-135.

Dean, R. & Montoya, M. 2005. *Ornithological observations from Cocos Island, Costa Rica (April 2005).* Zeledonia 9(1):62-69.

Denyer, P. & Zavaleta, E, eds. 2005. *Costa Rica; un retrato inédito en imágenes y palabras.* San José, Editorial de la Universidad de Costa Rica. 225 p.

Espinoza, G. 2003. *Comunicación personal.* Puriscal, C.R., Fundación Ecotrópica.

Faico, 2005. *Principales características del Parque Nacional Isla del Coco.* http://www.cocosisland.org/isla/principalescaracteristicas/index.htm

Fonseca, P. 2005. *Mármol tico; a la caza del mercado.* La Nación, San José (C. R.); Agosto 27: Metro 11.

Fournier, L.A. & García, E.G. 1998. *Nombres vernaculares y científicos de los árboles de Costa Rica.* San José, C.R., Editorial Guayacán. 262 p.

FUNDEVI-ICT-SPN. 1994. *Plan general de manejo para la Reserva Natural Absoluta de Cabo Blanco.* San José, C.R., Fundación para la Investigación de la Universidad de Costa Rica. 67 p.

FUNDEVI-PROAMBI-ICT-SPN. 1995. *Plan general de manejo para el Área de Conservación Osa.* San José, C.R., Fundación para la Investigación de la Universidad de Costa Rica. 277 p.

García, R. 1997. *El corredor biológico y la biodiversidad de Tortuguero.* Heredia, C.R., Instituto Nacional de Biodiversidad. 14 p. (Documento interno de trabajo).

Herrera, W. 1992. *Diagnóstico y zonificación del Bosque Nacional Diriá.* San José, C.R., Centro Científico Tropical. 86 p.

Horn, S. P. 2001. *The age of the Laguna Hule explosion crater, Costa Rica, and the timing of subsequent tephra eruptions: evidence from lake sediments.* Revista Geológica de América Central no 24:57-66.

Hudson, J. & Pearson, E. 2003. *Comunicación personal.* Cahuita, C.R., Ministerio del Ambiente y Energía.

Inbio. 1997. *Árboles de la Reserva Absoluta Cabo Blanco: especies selectas.* Heredia, C.R., Instituto Nacional de Biodiversidad. 47 p.

Jacardi, S.; Munster, M.; Baumgartner, P. O.; Baumgartner-Mora, C. & Denyer, P. 2001. *Barra Honda (Upper Paleocene-Lower Eocene) and El Viejo (Campanian-Maastrichtian) carbonate platforms in the Tempisque area (Guanacaste, Costa Rica).* Revista Geológica de América Central no. 24:9-28.

Janzen, D.H., ed. 1991. *Historia natural de Costa Rica.* San José, C.R., Editorial de la Universidad de Costa Rica. 822 p.

Janzen, D.H. 1998. *Conservation analisis of the Santa Elena property, Peninsula Santa Elena, northwestern Costa Rica.* Philadelphia, University of Pennsylvania. 308 p.

Jiménez, C. 2002. *Comunicación personal.* San José, C.R., Universidad de Costa Rica.

Jiménez, J. A. 1994. *Los manglares del Pacífico Centroamericano.* Heredia, Editorial Fundación UNA. 336 p.

Jiménez, Q. 1993. *Árboles maderables en peligro de extinción en Costa Rica.* Heredia, C.R., Instituto Nacional de Biodiversidad. 121 p.

Jiménez, Q. 1997. *Comunicación personal.* Heredia, C.R., Instituto Nacional de Biodiversidad.

Jiménez, Q. 2003. *Comunicación personal.* San José, C.R., Asamblea Legislativa.

Jiménez, Q. & Grayum, M.H. 1996. *La vegetación de la Reserva Biológica Carara.* Heredia, C.R., Instituto Nacional de Biodiversidad. 40 p. (Documento inédito).

JIMÉNEZ, R. 1997. *Comunicación personal.* Tilarán, C.R., Ministerio del Ambiente y Energía.

JIMÉNEZ-SAA, H. 1967. *Los árboles más importantes de la región de Upala, Costa Rica.* San José, C.R., Proyecto de Desarrollo Forestal Zonas Selectas, Informe Nº 3. 183 p.

KAPPELLE, M. 1996. *Los bosques de roble* (Quercus) *de la cordillera de Talamanca, Costa Rica.* Heredia, C.R., Instituto Nacional de Biodiversidad. 319 p.

KAPPELLE, M. & HORN, S.P. 2005. *Páramos de Costa Rica.* Heredia, Instituto Nacional de Biodiversidad. 767 p.

LEÓN J. & POVEDA, L.J. 2000. *Nombres comunes de las plantas en Costa Rica.* San José, C.R., Editorial Guayacán. 870 p.

MADRIGAL, E. & GUEVARA, J. 1995. *Refugios de vida silvestre y humedales de Costa Rica.* San José, C.R., Ministerio de Recursos Naturales, Energía y Minas. 44 p.

MADRIGAL, E. 1997. *Comunicación personal.* San José, C.R., Ministerio del Ambiente y Energía.

MALAVASSI, L. 1985. *Áreas de manejo en Costa Rica.* San José, C.R., Fundación de Parques Nacionales. p. irr.

MARTÍNEZ, S. 1997. *Comunicación personal.* San José, C.R., Ministerio del Ambiente y Energía.

MELÉNDEZ, C. 2001. *Santa Rosa; un combate por la libertad.* Alajuela, Museo Histórico Cultural Juan Santamaría. 70 p.

MÉNDEZ, G. 1997. *Comunicación personal.* San José, C.R., Ministerio del Ambiente y Energía.

MEZA, T.A. 1988. *Áreas silvestres de Costa Rica.* San José, C.R., Editorial Alma Mater. 111 p.

MINISTERIO DEL AMBIENTE Y ENERGÍA. 2000. COSTA RICA. *Estrategia nacional de conservación y uso sostenible de la biodiversidad.* San José. Minae. 82 p.

MINISTERIO DE RECURSOS NATURALES, ENERGÍA Y MINAS. 1991. COSTA RICA. *Estudio nacional de biodiversidad.* San José, C.R. Museo Nacional e Instituto Nacional de Biodiversidad. 209 p. (Documento preliminar)

MINISTERIO DE RECURSOS NATURALES, ENERGÍA Y MINAS. 1992. COSTA RICA. *Propuesta para la creación del Parque Nacional Maquenque.* San José, C.R., Deppat S.A. p.irr.

MINISTERIO DEL AMBIENTE Y ENERGIA. 1997. COSTA RICA. *Situación actual de las areas silvestres protegidas de Costa Rica.* San José, C.R. 29 p. (Documento preliminar).

MITTERMEIER, R.A.; ROBLES, P.; MITTERMEIER, C.G.; BROOKS, T.; HOFFMANN, M.; KONSTANT, W.R.; DA FONSECA, GA.B. & MAST, R.B. *Grandes espectáculos del mundo animal.* México D.F., CEMEX. 324 p.

MONGE, L.D. 1980. *Reserva Forestal del Golfo Dulce, Osa, Puntarenas; inventario forestal preliminar.* Cartago, C.R., Instituto Tecnológico de Costa Rica. 49 p.

MORA, J.M. 2000. *Mamíferos silvestres de Costa Rica.* San José, C.R., Editorial Universidad Estatal a Distancia. 220 p.

MORALES, J.F. 1993. *Estudio preliminar de la flórula de la Zona Protectora La Cangreja, Puriscal.* Informe de Práctica de Especialidad. Cartago, Instituto Tecnológico de Costa Rica. 58 p.

MORALES, R., VARELA, C. & BELLO, G. 1984. *Zona Protectora La Carpintera; plan de manejo.* Turrialba, C.R., Centro Agronómico Tropical de Investigación y Enseñanza. 65 p.

MORILLO, J.M. 1989. *Clasificación del humedal de Mata Redonda y sugerencias para su manejo.* Tesis de Ingeniero en Ciencias Forestales. Universidad Nacional. 71 p.

MURILLO, W. 1984. *Descripción preliminar de las comunidades naturales de Costa Rica.* San José, C.R., Fundación de Parques Nacionales. 29 p.

NORMAN, D. 1998. *Common amphibians of Costa Rica.* San José, C.R., Asociación Conservacionista Yiski. 96 p.

ORTIZ, R. 1991. *Informe técnico sobre la importancia biológica de la Reserva Forestal de San Ramón.* San Ramón, C.R., Universidad de Costa Rica. 25 p.

ORTIZ, R. 1991. *Reserva Forestal de San Ramón; memoria de investigación.* San Ramón, Universidad de Costa Rica. 110 p.

PHILLIPS, P.L. 1993. *Vegetation types for the Osa Peninsula.* San José C.R., The Nature Conservancy, 16 p.

PROHL, H. *Los anfibios de Hitoy Cerere, Costa Rica.* 1997. San José, Proyecto Namasöl. 66 p.

Puci, J. J. & Montero, C. 2001. *Chirripó; un viaje a la montaña mágica.* San José, Editorial Heliconia. 68 p.

Puci, J. J. 2003. *Refugio Nacional de Vida Silvestre Gandoca-Manzanillo.* San José, Imprenta LIL. 130 p.

QUESADA, F.J.; JIMÉNEZ, Q.; ZAMORA, N.; AGUILAR, R. & GONZÁLEZ, J. 1997. *Árboles de la península de Osa.* Heredia, C.R., Instituto Nacional de Biodiversidad. 411 p.

QUESADA, R. 1986. *Potencial turístico del Parque Nacional Isla del Coco.* Tesis de Diplomado. Colegio Universitario de Cartago. 378 p.

RAMÍREZ, S.E. 1996. *El Área de Conservación Llanuras del Tortuguero; su paisaje y su gente: una mirada introspectiva.* Guápiles, C.R., ACTo. 133 p.

RAMSAR. 2003 *Costa Rica names high-altitude peatlands as its 11th Ramsar site.* Gland, Suiza, Ramsar Convention Bureau. <http:// www.ramsar.org/w.n.costarica_talamanca#span>.

RANCHO MASTATAL. 2003. http://www.ranchomastatal.com

ROBLES, R. 1997. *A field guide to the common plants of the Caribbean coast of Costa Rica; Tortuguero National Park.* San José, Impresora Tica. 54 p.

ROJAS, L. 1997. *Comunicación personal.* San José, C.R., Ministerio del Ambiente y Energía.

ROJAS, S. 2005. *Observación del Caracara Avispera en Tortuguero.* Zeledonia 9(1):55.

ROMERO, J.C. 1989. *Definición, manejo y desarrollo de zonas de amortiguamiento; un estudio de caso en Costa Rica.* Tesis de M. Sc. Centro Agronómico Tropical de Investigación y Enseñanza. 304 p.

SALGUERO, M. 1998. *Ríos, playas y montañas de Costa Rica.* San José, Editorial Costa Rica. 277 p.

SÁENZ, R.; FLORES, E.; CEVO, J.H. & MAGALLÓN, F. 1975. *Los tómbolos Catedral y Uvita.* Revista Geográfica de América Central no. 2:80-86.

SÁNCHEZ, R. 2000. *Reserva Biológica Alberto Manuel Brenes.* San José, C.R., Ministerio del Ambiente y Energía. 50 p.

SANDOVAL, L.F.; SÁENZ, R.; ACUÑA, J.; CASTRO, J.F.; GÓMEZ, M.A; LÓPEZ, A.; MEDEROS, B.; MONGE, A. & VARGAS, J.E. 1982. *Mapa geológico de Costa Rica.* San José, C.R., Ministerio de Industria, Energía y Minas. Esc. 1:200.000. Color.

SOTO, R., ed. 1992. *Evaluación ecológica rápida de la península de Osa.* San José, C.R., Fundación Neotrópica. 135 p.

SOTO, R.; MONEDERO, C & OYAMBURU, J. 2005. *Las aguas del Savegre.* Araucaria XXI. Programa de la Cooperación Española para la Conservación de la Biodiversidad y el Desarrollo Sostenible en Iberoamérica. 86 p.

STILES, F.G. & SKUTCH, A.F. 1989. *A guide to the birds of Costa Rica.* Ithaca, Cornell University Press. 511 p.

STILES, F.G. & SKUTCH, A.F. 1995. *Guía de aves de Costa Rica.* Heredia, Instituto Nacional de Biodiversidad. 580 p.

STOLZENBURG, W. 2002. *Raptor-rich Talamanca.* Birdscapes (EE.UU.) Otoño 2002:35.

TABASH, F.A. 1997. *Comunicación personal.* Puntarenas, C.R., Universidad Nacional.

TOSI, J.A. 1969. *Mapa ecológico.* San José, C.R., Centro Científico Tropical. Esc. 1:750.000. 1 p. Color.

TOURNON, J. & ALVARADO, G. 1997. *Mapa geológico de Costa Rica.* San José, C.R., Editorial Tecnológica de Costa Rica. 79 p.

VARGAS, A. 2005. *Mariposas colipatos viajan hacia el Caribe.* La Nación, San José (C.R.); Agosto 8:24A.

VARGAS, A. G. 1992. *Cartografía fitogeográfica de la Reserva Biológica de Carara.* San José, Editorial de la Universidad de Costa Rica. 49 p.

VAUGHAN, C.; McCOY, M.; FALLAS, J.; CHAVES, H.; BARBOZA, G.; WONG, G.; CARBONELL, M.; RAU, J. & CARRANZA, M. 1996. *Plan de manejo y desarrollo del Parque Nacional Palo Verde y Reserva Biológica Lomas Barbudal.* Heredia, C.R., Universidad Nacional. p. 70-71.

VIDAL, G. 1972. *Mi mujer y mi monte.* San José, C.R., Ministerio de Cultura, Juventud y Deportes. 100 p.

WEBER, H. 1959. *Los páramos de Costa Rica y su concatenación fitogeográfica con los Andes suramericanos.* San José, Instituto Geográfico de Costa Rica. 71 p.

WELLS, S., ed. 1988. *Coral reefs of the world.* Cambridge, IUCN Conservation Monitoring Centre. v.1, 373 p.

WESTON, J.C. 1992. *La Isla del Coco.* San José, C.R., Trejos. 311 p.

WILSON, D.E. & REEDER, D.M. 1993. *Mammalian species of the world: a taxonomic and geographic reference.* 2nd. ed. Washington DC, Smithsonian Institution Press. 1206 p.

FOTOGRAFÍAS / PHOTOGRAPHS